CAPRICHOS

COLECCIÓN AUSTRAL
N.º 1321

RAMÓN GÓMEZ DE LA SERNA

CAPRICHOS

ESPASA-CALPE, S. A.

Printed in Spain

Acabado de imprimir el día 14 de noviembre de 1962

Talleres tipográficos de la Editorial Espasa-Calpe, S. A.
Ríos Rosas, 26. — Madrid

ÍNDICE

BREVE PRÓLOGO

Muchos Caprichos y Fantasmagorías he publicado a través de mi larga vida literaria, pero nunca los había coleccionado en un libro dedicado a ellos. Sólo aparecieron unos cuantos con el título de *Capricci* en la editorial napolitana Tirrena, traducidos admirablemente por un escritor argentino: José le Pera.

En esta recopilación y selección, además de muchas cosas inéditas figura el recuento o rezago salvador de algunos «disparates» que merecen salvarse entre los que formaron mi carpeta goyesca de otros tiempos.

Tienen que ser cosas que se le aparezcan a uno, no que uno las haga aparecer.

Esta especie de «disparate» que inventé procede de la persuasión de que hay cosas disparatadas de un interés que se repite en la vida, cuadros de fantasía que tienen la particularidad de proyectarse en nosotros en momentos lúcidos, grandes arañas que bajan del cielo claro de las tardes claras, situaciones que se resuelven sin resolverse, sólo quedándose pasmadas en su absurdidad y todo un mundo embrionario pero que quiere realizarse.

No tiene que ver este libro con los titulados *Gollerías* y *Trampantojos,* que son otra cosa. Éste es el libro de lo imaginario puro con algo de absurdo, contando con que lo absurdo no puede ser tonto, ni taimado, ni avieso.

Aquí están realizadas todas las pesadillas y venganzas ideales, después de rotos innumerables borradores de otras tantas.

Y aunque es tan diverso el resultado, yo tengo que exclamar ante los antagonistas como final de este introito: «¡Amigos, se hizo lo que se pudo, no los pude inventar mejores!»

La vida son estos divertimientos y después está el Cielo, pero ésa es otra inmensa cosa.

R. G. S.

Buenos Aires.

EL EMPERADOR DESTRONADO

El emperador chinés, el último descendiente de las más remotas dinastías, era el único que sabía de su regia condición. En su habitación del Gran Hotel, y para curarse la jaqueca, se ponía a veces la fría y consoladora corona.

Indirecto hijo de los dioses aun en su incognital aventura por la vida, oía a veces músicas reales, pero cuando sucedía lo extraordinario era en las noches radiantes de los circos, cuando los elefantes del programa se arrodillaban frente a su silla de pista, reconociendo con su secreto instinto de enormes cortesanos la egregia condición del ex emperador.

VERDADERA FALSA MUERTE DE CALÍGULA

Calígula quizá no murió así, pero debió morir así.

El bárbaro tetrarca —por ser tres veces brutal— ordenó que los que saliesen aquella noche con investidura roja fuesen muertos por sus centuriones.

El Implacable tenía aquella noche una cita proterva, y en la ofuscación de la prisa el muy idiota se olvidó de su propia orden y se embozó en la túnica roja, siendo muerto por su propia guardia al salir del palacio.

SORPRESA

Era un *cabaret ruso,* un poco a trasmano, con esos guardianes con traje a la rusa con cartuchos en las cartucheras del pecho, pareciendo llevar una caja de puros distribuida en esos bolsillos.

La interminable cinta continua de baile y música duraba hasta muy tarde, pero nunca me había quedado tan hasta el final, cuando la rendija de luz de la mañana echaba su diario por debajo de la puerta.

Entonces vi lo más sorprendente, el ex libris del *cabaret*, su epílogo burlesco.

Atravesó por debajo de las mesas y de las sillas abandonadas, una pizpireta gallina, amarillenta, flaca y desplumada, pero con una boa de marabú en que parecía haber ensartado las plumas que la faltaban.

El enorme portero que cuidaba la puerta entre los dos derechos, el de admisión y el de reexpedición, la abrió de par en par, y dejando pasar a la versátil gallina, la dijo inclinándose respetuoso:

—Señorita Consomé, hasta mañana.

—Hasta mañana —contestó ella.

TRASPASO DE LOS SUEÑOS

De pronto dejó de tener pesadillas y se sintió aliviado, pues habían llegado ya a ser una proyección obsedante en las paredes de su alcoba.

Descansado y tranquilo en su sillón de lectura, el criado le anunció que quería verle el señor de arriba.

Como para la vista de un vecino no debe haber dilaciones que valgan, le hizo pasar y escuchó su incumbencia:

—Vengo porque me ha traspasado usted sus sueños.

—¿Y en qué lo ha podido notar?

—Como vecinos antiguos que somos, sé sus costumbres, sus manías y sobre todo sé su nombre, el nombre titular de los sueños que me agobian a mí, que no solía soñar... Aparecen paisajes, señoras, niños con los que nunca tuve que ver...

—¿Pero cómo ha podido pasar eso?

—Indudablemente, como los sueños suben hacia arriba como el humo, han ascendido a mi alcoba, que está encima de la suya...

—¿Y qué cree usted que podemos hacer?

—Pues cambiar de piso durante unos días y ver si vuelven a usted sus sueños.

Le pareció justo, cambiaron, y a los pocos días los sueños habían vuelto a su legítimo dueño.

SUEÑO DEL VIOLINISTA

Siempre había sido el sueño del gran violinista tocar debajo del agua para que se oyese arriba, creando los nenúfares musicales.

En el jardín abandonado y silente y sobre las aguas verdes, como una sombra en el agua, se oyeron unos compases de algo muy melancólico que se podía haber llamado «La alegría de morir», y después de un último «gluglu» salió flotante el violín como un barco de los niños que comenzó a bogar desorientado.

SOBREMESA

En ese alargar el banquete llegaron al epílogo trágico como en los cuentos de Villiers o Barbey, cuando entre los comensales con ojos de aguardiente se descubre al verdugo de París que va a actuar de madrugada.

La tesis era —para seguridad de que no podrían ser asesinados sin represalias— que el crimen no queda nunca impune.

—Yo conocí —dijo el de la corbata de plastrón— el caso de un criminal que había quedado más allá de la sospecha, pero que según pasaba el tiempo se iba pareciendo a su víctima... Nada más... Por eso cantó, al fin.

—Yo sé —dijo el juez de las manos amarillas— de otro asesino que había logrado escapar a la justicia, pero un día el que durmió en la habitación compuerteña con la del crimen, oyendo el ruido del sueño del criminal antes de asesinar a su compañero de hospedaje, volvió a percibir

el mismo jadeo en la coincidencia de otra posada, y lo
mandó detener.

—Yo fui protagonista de otra de esas estratagemas de
la contraconciencia —dijo el escribano—. Un día, estando
sentado en la terraza de un café, un hombre que pasaba
se me quedó mirando con espanto y fijeza... Todos notaron
el aire de loco agresivo que había tomado aquel hombre
parado ante mí... Con la mano en el bolsillo, como acariciando un arma, se me acercó, y agarrándome por la solapa me dijo: «Si ya te maté una vez, ¿qué haces aquí?»...
Me di cuenta que sólo me salvaría una contestación que
conviniese a su arrebatada conciencia, y dije: «Sí... Pero
no se puede asesinar al mismo dos veces.» Eso lo paralizó
y dio tiempo a que la policía se encargase de él... Era otro
impune, y sólo mi semejanza con su víctima lo había hecho
denunciarse.

LA AVENTURA DE LA TINTORERÍA

Había dicho que lo tiñesen del mismo color, pero me
lo habían devuelto con otro color, un color que, sin dejar
de ser el mismo, era diferente.

En seguida me di cuenta. Habían envenenado su forma
y su fondo. Me lo habían matado.

Le pregunté con cautela:

—¿Pero qué te han hecho?

—Primero me llevaron con los ojos vendados a un gran
galpón lleno de conspiradores, y oí que decían: «¡Del mismo color! ¡Como que eso es posible! Yo le voy a dar lo
suyo a ese osado», y me llevaron al químico de las barbas,
que dictaminó: «¡Sentenciado!... Denle la triaca final»...
A partir de ese momento yo sentí que no era el mismo,
que habían envenenado mi sangre y mi color...

Después de oir esas palabras lo regalé.

COLECCIONISTA DE ANCLAS

Neptuno no tiene más que una manía, y es la de coleccionar anclas.

No le interesan en su grandeza despectiva de dios ahogado las otras futesas que caen en el fondo del mar con los barcos que naufragan. No es un vendedor de chatarra.

En su colección está el ancla del primer barco que navegó con esa invención, hasta la del último. También tiene rezones —que son anclas dobles— y áncoras de capricho pertenecientes a los yates principescos.

El naufragio del más enorme barco del mundo, el *Maropolis,* se debió a que Neptuno se encaprichó con su magnífica ancla de tres toneladas y media y lo pinchó con su tridente.

«RECORD» DE VIAJERO DE AVIÓN

Su locura era la de ser el turista aéreo que más viajes de ida y vuelta había hecho, visitando todos los aeródromos del mundo.

—Salgo para Siracusa, la semana que viene estaré en Timor y dentro de quince días habré vuelto por vía Nueva York...

En esos giros y contragiros por los siete cielos del mundo, un día al descender en el campo de aterrizaje de Lisboa se encontró con que le esperaba él mismo; o se había adelantado o estaba ya para volver a subir en el mismo avión.

JUSTICIA DE LOS ZARES

Se cuentan cosas inauditas de los antiguos zares. El mentiroso encuentra campo abierto cuando se trata de sus anécdotas, ¡pero dos mentirosos muchas más!

—Usted sabe que en Rusia estaba prohibido decir azar,
porque esa palabra era algo así como la negación y la
abdicación del zar... ¡Qué arbitrariedad!

—Eso no es nada —dijo el otro—, porque en todas
partes están prohibidos los juegos de azar... Lo insólito
fue lo que hizo Iván el Terrible cuando prohibió el eco,
porque creyó que se burlaba de él, e hizo tirar la montaña
que lo producía.

LAS MÁS BELLAS COLEGIALAS

Lo más sorprendente de aquel colegio no era que todas
las alumnas fuesen millonarias, ni que tomasen los mejores helados del mundo —la multimillonaria había dejado su gran fortuna para que hasta la eternidad todas
las «niñas» tomasen helados dos veces por día—, sino la
belleza fantástica que singularizaba a todas las muchachas
de aquel internado.

¿Es que las elegían? ¿Es que la coquetería guiaba a las
más hermosas hacia aquel colegio?

Nada de eso. Es que Gloria Sunson, la belleza triunfante
de los salones y los hipódromos —de la noche y del día—,
cuando murió dejó su cuantiosa belleza al colegio en que
había estado interna.

LEVANTAMIENTO DE CADÁVER

La delicada actriz había caído muerta sobre el diván
como esa camelia que se desprende del alambre que la
fija a las hojas que no son suyas.

¿Envenenada? ¿Asesinada por aquel diván en que siempre estaba echada cuando se quedaba en casa?

El caso extraordinario es que al levantar el cadáver,
como es de rúbrica, se encontraron con que si estaba muerta por el reverso, no estaba muerta por el anverso.

Se había envenenado sólo la mitad de ella, y gracias a eso, y después de ser enyesada por detrás, pudo sonreir en un sarcófago egipcio hasta que le llegó la hora a la otra mitad.

CLEPTÓMANA DE CUCHARILLAS

Era poderosa y aristocrática, pero tenía la obsesión de las cucharillas.

Es ésa una cleptomanía corriente sobre todo en los palacios reales, y por eso hubo reyes que cambiaron las de oro por otras de similor, para evitar que se llevasen tan costoso «recuerdo de S. M.».

Poseía cucharillas de los mejores hoteles del mundo, de las casas más nobles —con el escudo en el agarradero—, y hasta algunas arrancadas a las colecciones napoleónicas.

Un día, sin poder resistir mi curiosidad, le pregunté qué se proponía almacenando tantas cucharillas.

Entonces la cleptómana me dijo en voz baja:

—Vengarme del mundo... Dejarlo sin una cucharilla... Que muevan el café con tenedor.

EL GENIO OCULTO

Ya estaba viejo el célebre novelista y se había resguardado en medio del bosque de alerces, camuflando su casa para que no la encontrase nadie.

Ya era como ese encargado de la vieja tienda que ha visto envejecer los maniquíes, las rubias de cera que habían sido sus sensacionales personajes.

Pero el ciclista llega a todos lados y dio con su retiro y le comenzó a exigir anécdotas hasta la impertinencia.

—¿Y en qué rasgo de niño se comenzó a notar que era usted un genio?

—En que cuando me preguntaron en el colegio de párvulos cómo se llamaba la capital de Grecia, yo dije: *Presagio*.

DE JOYERÍAS

Siempre estaba frente a la vidriera de las grandes joyerías, esas que apagan el brillo de sus ojos de brillantes con la malla de un velo de acero.

Se extasiaba, estudiaba como un botánico la trama de la orquídea de un broche y contaba los grandes zafiros o las perlas de un collar.

Se acercaba tanto a las sortijas, que parecía una miope o que las besaba con su superstición.

Cuando un día... ¡Pum!, la mató la bala de los asaltantes que luchaban en el interior y que perforó el cristal a la altura de su frente.

EL QUE ESTUVO EN HIROSHIMA

El joven japonés fue uno de los supervivientes de Hiroshima, aunque su cabello se había vuelto rubio y en sus huesos había música de quena aun estando vivo.

De naturaleza distinguida y poética, se había acentuado su dulzura por efecto de su estar poseído por una lánguida radiactividad.

En edad del amor buscó novia, y encontró una muchacha que dio la mayor prueba de sacrificio casándose con él, pues se sometió al contagio de la radiactividad y comenzó a empalidecer y a desintegrarse desde el día de la boda. ¡Todo lo puede el amor!

El poema escultórico de su mausoleo presentará superado el caso de Romeo y Julieta, sublimados en el cementerio de la edad atómica.

LOS CANCILLERES COMEN SOLOS

Después de haberse descubierto el caso del espionaje por medio de los *menus* en el Gran Hotel de Londres, donde un plato tachado notificaba «disminución de los armamentos» al agudo espía, se encontró el pimentero de plata —el salero, a veces, se usa— que era un micrófono disimulado que transmitía las conversaciones confidenciales de los cancilleres en víspera de gran conferencia.

En vista de eso, los cancilleres comen solos, y aun así miran con desconfianza el búcaro con flores que adorna su mesa, y gritan al camarero:

—Llévense esto... Llévense esto.

LAS NEGRURAS DE REMBRANDT

Ha aparecido un experto en Rembrandt que ha penetrado en el secreto de sus fondos oscuros.

En esa afición al contraste con el negro en sus grandes cuadros había algo más que una propensión al claroscuro.

Se han encontrado en esas negruras del artista misterios de su pasión, sombras agazapadas de sus sueños, un fondo de aguafuerte de sus miedos.

En esa bituminosa y abrumadora recámara de sus cuadros estaba vibrando en la luz negra el destino de sus personajes y del mismo pintor.

En su *Lección de anatomía* se asoman la muerte y su estado mayor sobre las personas que componen el cuadro, amparado el macabro grupo por el cortinado de negruras que paramenta el fondo.

NO APTA PARA MENORES

Aunque a veces resulta que una película no apta para menores lo que no es, es apta para mayores, en aquel cine se llevaba con el rigor de los medio billetes para niños en los trenes, el que tuviese o no la edad reglamentaria el espectador que pedía una entrada.

La policía vigilaba el cumplimiento exacto de la disposición gubernamental, y ese niño que ha crecido mucho pero que sólo tiene catorce años, era detenido a la entrada sin tener en cuenta su metro ochenta.

Pero una noche los «detectives» especiales para películas perniciosas notaron que había demasiados señores con barba en la sala, y a la salida, quizá excediéndose en sus atribuciones, fueron dando un tironcito a cada barba, y así se descubrió que el noventa por ciento de los barbados eran niños de ocho a quince años.

SU ÚLTIMA RENTA

Más que marinero, era parásito de puertos y canales.

Había vivido toda la vida gracias a las más cómodas argucias, y había dado varias vueltas al mundo como la cuerda al trompo.

Solo ya en las postrimerías de su vida, se había dado cuenta de que no podía jubilarse de nada, pues en realidad no había sido nada nunca. ¿Es que hay jubilación de viajero perpetuo o de bebedor de cerveza nato?

Entonces en uno de esos bares de puerto que se llaman «El fin del mundo» reflexionó cuál podía ser su última jugada, y se le ocurrió la luminosa idea.

Era el hombre más tatuado de la tierra, y por lo menos había conservado ese álbum de zodiacos, anclas y mujeres evanescentes, intransferible e imperdible por ir tan incrustado en la propia piel, y su última singladura fue hacia Tokio, donde existe el Museo del Tatuaje.

Era como un filatélico que quiere liquidar su colección y vendió al director su pellejo pirograbado, con la condición de recibir una pensión hasta el día de entregarle la curtiembre artística.

Así, bebe tranquilo y rentado en los galpones de Tokio sus últimos *boks*, el hombre más tatuado del mundo.

EL SUPERAUDIÓN

Era uno de esos inventores sueltos que preconizan cosas muy grandes pero que después sólo realizan ingeniosos añadidos a los aparatos ya inventados.

Él era el que había supuesto que en el polo se podía encontrar la «frigidita», un elemento que lanzado en los climas templados helaría las ciudades con tempanación de muerte, pero aunque se le subvencionó en sus estudios y viajes, la «frigidita» sólo fue la teoría frígida de una mente acalorada.

Después de otros varios lances como ése, logró un añadido telefónico muy picaresco, pero muy poco práctico, llamado «el superaudión» y que unido al teléfono logra captar lo que dicen junto al aparato con el que acabamos de hablar después de cerrada la comunicación, cuando ya han colgado el tubo.

Las compañías de teléfonos se han negado por de pronto a prohijar tan indiscreto interceptador de palabras, pues es obvio que la mayoría de las veces lo que se quedan diciendo nuestros amables comunicantes no es nada amable ni audible.

LA VIVIENDA ACORDEÓN

Lo inverosímil llena la vida y si se admite que en Nueva York ha sido inaugurado el Círculo de las Mujeres sin Arrugas, puede creerse en la casa acordeón.

El caso es que el hombre del fuelle se había visto obligado a vivir con su familia en su propio acordeón.

Fue difícil el acoplarse, pero en estos tiempos en que la carestía de los alojamientos ha llegado a la locura, lo irremediable hizo que lograsen meterse en el acordeón.

La cuestión terreno no fue difícil, pues aún es factible encontrar un par de metros de yuyal en cualquier sitio.

Las primeras noches fueron incómodas, con algo pesadillesco, pero distendiendo la cámara plegada se logró dar cabida hasta a un sobrino huérfano, que de no ser por la facultad de dar de sí que tiene la gran oruga musical, hubiera tenido que dormir a la intemperie.

PELIGRO DE GUERRA

Un poco humorísticamente y otro poco por si acaso, había colgado una cuerda de seda con nudo corredizo de la barra para cortinas que había en el marco entre el *living* y el salón.

—Mira lo que he prevenido para cuando me hagas la vida insoportable —le había dicho a su mujer, que sonrió ante la extravagancia.

Los amigos reían o lloraban aquel rasgo burlón, pero que en definitiva mantenía pendiente el lazo amenazador.

Hasta que un día al volver a casa, el hombre burlón y desaprensivo vio horrorizado que su mujer se balanceaba en el aire.

EL ESCULTOR ESCULTORIZADO

En su trato con el barro y el yeso, el escultor empedernido se fue arteriosclerosando y notó que se endurecía por momentos.

Poco aprensivo por naturaleza, se dijo para sus adentros: «Desde luego, no se trata de que me marmorice... Después de tantos yesos como he hecho es natural que esté un poco enyesado.»

Pero un día el amigo que va de vez en cuando al taller del escultor porque le gusta admirar la momificación de los fantasmas, vio que el escultor no aparecía, y, sin embargo, allí estaba su sombrero y su sobretodo.

Inspeccionó el estudio, y le sorprendió ver sobre la plataforma de trabajo una estatua de su admirado amigo aparentando trabajar sobre un boceto de barro seco.

Entonces tuvo la revelación de lo que había sucedido, y apelando a un doctor y a las inyecciones de adrenalina, la estatua se ablandó y el escultor esculatorizado volvió a la vida, que funciona de acuerdo con el tictac de los relojes.

EL LAGO DE GASA

Después de probarse su traje de novia dotado de la más ancha y larga cola del mundo, la joven tuvo un sueño vaporoso, en que veía cómo aquel inundante atributo de su traje se convertía en lago de aguas movidas en que nadaban con desesperada e incierta fortuna personas y personillas en cuyo rostro reconocía a los maldicientes que van vestidos de ironía a los enlaces.

Olas de encajes hacían desaparecer algunas de aquellas cabezas, y cuando acabó la tormenta de la pesadilla y el estuario de la gran cola se serenó, aparecieron crestas de flores y galeras que flotaban como barcos de niños.

Al día siguiente, al mirar a su alrededor durante la solemne ceremonia, vio que estaba muy raleada la concurrencia.

EL SASTRE CON ALMA DE MENDIGO

Era un gran sastre al que habían elegido esos elegantes incipientes que aún no pueden hacerse la ropa en los sastres caros y senatoriales.

Los jóvenes se decían su nombre en secreto y le llevaban las mejores telas llenas de colgantes marchamos.

Pero el inspirado sastre tenía la desidia de los grandes artistas y no cumplía con el plazo de las pruebas, y llegó a empeñar los ricos paños que recibía en prenda.

Así hasta que fue un «roto» con el traje traspillado y deshilachado, pero de impecable forma, pues ya sólo se hacía a sí mismo autotrajes.

EL CERVATILLO FLUORESCENTE

En aquel gacelo, más bello que un paje del Renacimiento, las manchas de la piel habían llegado a ser luminosas, acrecentando la gracia de esos lunares que no se sabe

cómo están matizados y que son las pinceladas inimitables
que da la Naturaleza a sus muy privilegiadas criaturas.

El cervatillo estaba orgulloso con su traje de luces, y
triscaba por el bosque luciendo sus manchas fosforescentes, hasta que en seguida se hizo visible a los ojos del lobo,
perdiéndole así su coquetería.

LOS PETRIFICADOS O PETREFACTOS

Aquel balneario tenía unas aguas maravillosas, eminen-
temente calcáreas, pero de buena calidad.

Los bañistas se curaban, aunque endureciéndose un poco,
cosa que los ponía como nuevos y evitaba que los microbios les pudiesen meter el diente.

Una y otra vez volvían y sólo algunos, que repetían demasiado la cura por esa ansia de estar mejor que tiene el
hombre, se petrificaban por completo, y entonces, como
penetrando en la inmortalidad de las estatuas, pasaban a
la sala del museo de los petrificados y las petrificadas, que
era el orgullo máximo del balneario.

EL ALMA DEL FUSILERO

Aquel que al hacer fuego el pelotón sobre el sentenciado
a muerte consigue la puntería fatal, recibe al alma del
muerto, y es su alma la que sube al cielo para dar cuenta
de lo que acaba de hacer.

Ese trastrueque de almas es una cosa providencial para
que no se envuelva la responsabilidad del verdugo cuando
se amparan unos con otros los de la patrulla.

La justicia distributiva es automática como las armas
automáticas.

EL TRANSMISOR DEL PENSAMIENTO

El hipnotizador y transmisor del pensamiento no tenía
escenario y no podía actuar ante los grandes públicos.

En esa situación de parado se le ocurrió una peregrina idea, y se la propuso a un gran almacén, que la aceptó con gran júbilo, dándole un buen tanto por ciento en las futuras ganancias.

El hipnotizador y transmisor del pensamiento actuaba frente a las vidrieras de los objetos caros y transmitía el deseo de comprar tal o cual cosa a la mirona que consideraba él con poder adquisitivo.

Abrigos de pieles, muebles caros, porcelanas de marca, etcétera, eran comprados en el acto gracias al reclamo secreto del anunciador invisible con imperio sobre ese hueco que tienen las nucas femeninas como receptor de mensajes hipnóticos.

APARICIÓN DEL TRITÓN

La bella joven se reía tanto después del baño a la orilla del mar, que como la risa es la mayor provocadora de la curiosidad, asomó su cabeza un tritón para ver lo que pasaba.

—¡Un tritón! —gritó ella, pero el tritón tranquilo y sonriente la serenó con la pregunta más inesperada:

—¿Quiere decirme qué hora es?

ABANICO BECQUERIANO

Íbamos a aquella reunión de pantallas discretas porque había en ella un aire confidencial y recoleto bien presidido por aquella dama sin edad que se había quedado convertida en señorita de Terciopelo.

Un día la señorita Araceli —que es como se llamaba la dueña del salón— nos mostró un abanico en el que había unos versos de Bécquer.

—Me los escribió él mismo.

Entonces todos nos miramos, porque nos dimos cuenta de la edad de la Araceli, inefable e incalculable.

EL ABOGADO TRAPALÓN

Aunque se encargaba de todo, no acudía nadie a su bufete, y entonces tuvo que acudir al usurero último, al que había visto alguna vez en los pasillos de los tribunales husmeando ruinas y desesperaciones.

Muy ducho el letrado en la confección de contratos y escrituras, embrolló al diablo al hacer el convenio de venta del alma, y después de recibir el estipendio vio con asombro que el gran usurero con cuernos rompía el papel sellado y escriturado porque resultaba que era él, el diablo, el que había vendido su alma al abogado.

EL LECTOR DE REOJO

Al que lee nuestro diario de reojo no le importa que le miremos con estrábica iracundia.

No es que seamos egoístas, es que ese segundo lector desconocido retarda nuestra lectura, nos hace tropezar o patinar en lo que vamos leyendo, y como además tiene ideas contrarias a las nuestras, lee de otra manera lo que lee y nos equivoca.

El lector de reojo tenía que sufrir su condigno castigo algún día, y la cosa sucedió en el tranvía 50.

Lo llevaba al lado y no lograba despegarlo ni doblando violenta y sorpresivamente mi diario, cuando de pronto se metió con más anhelo en la página, haciendo gestos de estupor.

Leía una necrología con la media foto de los jubilados, que en comparanza súbita noté que era su retrato. ¡Era su necrología! ¡Alguna vez tenía que suceder una cosa así para escarmiento de lectores entrometidos!

EL HIELO NEGRO

Las sorpresas que va a dar el polo van a ser muchas, y se encontrará a la bella dormida en el hielo y se dará con el palacio del pescador más viejo de la tierra, pero no se

encontrará el pivote de platino del eje del mundo hasta
que no se dé primero con las regiones de hielo negro, un
hielo de pórfido transparente en que la luna se baña como
esas grandes señoras que se permiten el lujo de tener baño
negro.

LAS TRES Y MEDIA

El reloj de mesa, el reloj de pared y el reloj de bolsillo
se pararon a las tres y media.

¿Qué había pasado a esa precisa hora?

Lo consulté con muchos especialistas y no pudieron aclarar el misterio.

Nunca lo sabré, porque si es el augurio de lo que su-
pongo, tampoco lo sabré.

LA DRÍADA

Desde muy antiguo —nadie sabía desde cuándo— era
la vieja que se había recibido en herencia unida a la estancia.

Bautizada «El laurel», por el árbol siempre verde con
pepitas de oro que decoraba el pórtico de la casa, la su-
perviviente parecía ir a ser eterna cuando un día al hachar
el laurel porque estorbaba la visión de la pileta, la vieja
sirvienta, como las dríadas que mueren con el árbol a cuyo
destino están unidas, murió también. ¡Pero quién se lo iba
a suponer!

BILLETES EN LOS LIBROS

Solía guardar sus rentas entre las páginas de los libros
de la gran biblioteca de su padre.

Algunos días quería hacer recuento de lo que tenía escondido y no encontraba en tal o cual tomo los billetes
que suponía tener guardados.

Como una bibliotecaria delirante subía y bajaba de la escalera corrediza, y acababa extenuada, pálida, con las manos en la cabeza.

Alguien le había dicho:

—No hagas eso... Te vas a volver loca.

Y ahora está secuestrada y se pasa los días hojeando y hojeando una guía telefónica.

CUANDO NOS AHOGÓ UNA CORTINA

Alguna vez hemos estado como fuera de la vida, en el espacio laberíntico entre la vida y la muerte y fue cuando nos envolvió una cortina o bien porque se nos desprendió encima o porque no supimos encontrar la salida entre sus grandes pliegues.

Envueltos en la cortina y rizados en su rizo nos perdimos en un interregno entre ópera y baile de máscaras, entre negro y blanco, sin saber qué podía ser de nosotros, en manos del verdugo del terciopelo.

LA CONTRAONDA

Sólo hay una contraonda que despeina todo el ondaje de las emisoras.

Procede de la agonizante que quiso oir la radio hasta el último momento y murió de pronto.

Entonces se produce la contraonda, lo único que desconcierta las ondas hasta la medula del micrófono.

PESADILLA DEL CAFÉ

No me dejaba volver al barco el café desparramado por las calles porque al pisar los granos caídos retrocedía, patinaba hacia atrás y no podía avanzar.

Ésa es la tragedia del viajero que se tiene que quedar en el Brasil y que excitado de café años y años tiene ya el blanco de los ojos color café.

ENGAÑO DE LA PALOMA

¡Cuidado con la paloma!

La paloma es simpática en el cielo, agradable en el tejado, antipática cerca.

La paloma es dura, de madera, y tiene la tozudez de la algarroba que come y que la hincha las narices con violenta querencia.

No me gusta la materialidad de la paloma, pues si es un símbolo que usa Venus también lo usa lo que va contra Venus.

Sólo es admisible como símbolo que vuela lejano a la chulería de su arrullo y zureo, nunca descendida, siempre pegada al cielo.

EL ESQUELETO EN LOS FUEGOS

Me gustan los fuegos artificiales porque en el bochorno del verano y la sollamación de los fuegos, se ven las mujeres a una luz que está entre la vida y la muerte, más hermosas pero al mismo tiempo un tanto desaparecidas, como si la luz de las bengalas y los cohetes precipitasen su metamorfosis.

Un interés extraño, una busca nerviosa hace que se mueva uno entre el público que llena el ágora pública.

¡Qué desengaños y qué sorpresas! El palmar de los fuegos da luces verdes a mujeres pálidas, que cuando miran, vuelven hacia uno ojos de bronce, en ignición.

¿Dónde está ella? Y se va de un lado a otro como si se buscase la pareja perdida.

«Allí» me señalaba el índice interior, y allí estaba la mujer de la mantilla, una mujer que parecía no haber salido a la noche desde los otros fuegos patrióticos del año anterior.

Colocado en sus proximidades sufría esa distracción de los fuegos que arrancan a la contemplación de la mujer y hacen ver el descenso de los paracaidistas de luz que son como los diablillos o ladrones de la noche.

En una de esas distracciones perdí a la mujer de la mantilla y ya anduve buscándola al azar, por entre el laberinto de gentes, y vi al lado este de la plaza la figura de la libertad iluminando el mundo y al lado oeste el castillete invencible.

Como en otros fuegos en que perdí la pareja ideal, la que en la oscuridad había sido elegida como modelo del despertar de la pólvora en la noche, aquella noche me quería consolar con otras recién aparecidas pero no me era posible, no podía olvidar a la mujer de la mantilla con manchas de encaje y fuego en su rostro apenas apercibido.

Odiaba los sombreros, me parecían elementos grotescos, algo para hacer gritar a las mujeres como si encubriesen la donosura de los resplandores.

Buscaba el capuchón recortado y transparente de la mantilla, pero con ese desconsuelo particular de la noche de fuegos en que todo parece poderse hallar y todo se pierde.

Ya estábamos en el trance final, cuando el palacio versallesco de los fuegos cae en derrota.

¡Si la viese a esa luz final! Le costaba mucho morir al bastión postrimero, parecía haberse apagado y se le encendía un torreón, parecía haber muerto y le quedaban tiros olvidados.

Estábamos frente a la sombra en que la multitud se disuelve y se desperdiga como si hubiese sido una cosa del sueño todo lo visto y no visto...

Me volví y en el desaparecer de todos entreví un momento a la mujer de la mantilla flaca, como un esqueleto, como la última armazón que después de quemarse le queda a la empalizada final, a la celosía del castillete muerto de los fuegos.

ACCIDENTE FATAL EN LA SILLA ELÉCTRICA

Estando visitando la penitenciaría central el millonario Stinworg, acompañado de su familia, se le ocurrió al célebre potentado sentarse en la silla eléctrica para comprobar si se estaba cómodo en ella.

Todos observaban la broma con jovialidad cuando se dieron cuenta de que algo le había sucedido a Stinworg.

El jefe de la cárcel, sospechando lo que había podido suceder, prohibió que nadie tocase al millonario, pues corría el peligro de quedar tan exánime como él, y corriendo al cuadro eléctrico comprobó que después de la última ejecución no habían sido levantados todos los conmutadores y la silla había quedado electrizada.

LA MANÍA DEL MILLONARIO OVEN

El multimillonario Oven tiene la manía de enterrar violines en su jardín.

Adquiere los mejores violines del mundo, los violines en que tocaron los grandes maestros, y los entierra poniendo encima lápida y cruz.

Aquí yace el Estradivarius
que tocaba el profesor X.

Lo enterrado en el jardín de Oven vale más que todo su palacio, una verdadera fortuna.

Es impresionante ese panteón de violines ilustres, y se enreda en los árboles la melodía de la tarde.

TALLISTAS DE MONTAÑAS

Era uno de esos escultores espontáneos, vestidos con falsa sotana, que se repiten más de lo que parece en los recodos montañosos del mundo.

Parece que los sitios rocosos magnetizan hasta hacer escultores a los seres que no saben defenderse del poder fascinante de las rocas.

Desperdigados por el mundo montañoso, perdidos en cráteres de cordilleras, se repiten, como ecos del mismo prurito, numerosos escultores fatales, «tantálicos», «prometeicos», llenos de la magna ansiedad de no dejar piedra sin simbolismo.

En aquel rincón de los montes Arce vivía uno de estos escultores que, por lo menos, no pueden exponer sus esperpentos porque están arraigados al pedestal pétreo del circo pirenaico en que se volvieron locos de pretensión escultórica.

Se llamaba Tremópolis porque, para más rigor de su inspiración, venía de abuelos griegos.

Tremópolis había llenado de coros brutales un buen pedazo de cordillera, tipos con rostros de un pim-pam-pum colosal.

Aquellos engendros de cara tosca estaban como tumbados sobre la montaña, inclinados hacia atrás, como si les deslumbrase el cielo, como si temiesen al Dios de las alturas.

Creía Tremópolis poder vencer la larga cadena de su congosto para asombro de todos los turistas, cuando un día, como si la piedra le quisiera castigar por aquella osadía monstruosa que volvía horripilante lo que sólo era abrupto, uno de esos grandes peñascos que están al aire sobre el basamento de otro peñasco gemelo y que parece que van a estar guardando el equilibrio hasta la consumación de los siglos, le cayó encima y le aplastó.

LA CORTINA DE PERLAS

En los alcázares había pocas puertas, sobre todo según se iba llegando a las habitaciones íntimas del sultán y la sultana.

La prohibición de pasar era lo único que cerraba los arcos interiores.

El monarca hubiera sentido que decaía su autoridad reforzándose con postigos.

En algunas había moros barbudos y fornidos que las atravesaban con su alabarda, con sólo inclinarla levemente entre dintel y umbral, de jamba a jamba.

Aquel gesto de estar en guardia era más poderoso que una reja.

Pero el marco más defendido de todos los marcos de entrada a las habitaciones reales era el marco de la alcoba luminosa de la sultana.

Allí no había guardián; allí sólo había una cortina de perlas verdaderas; en randas apretadas, como una cascada de collares suspendidos de la garganta de la puerta.

Nada más.

Pero ya se sabía que el que moviese aquellas perlas, por sigilosamente que lo hiciera, sería castigado como el violador de la puerta del máximo tesoro y su cabeza caería sobre las baldosas rojas del patio de las ejecuciones.

LA AHOGADA DEL LAGO

¿Por qué se había tirado a las aguas tristes del lago la señorita de los muchos anillos?

En otros tiempos se hubiese achacado a un ataque de romanticismo, pero en tiempos del psicoanálisis los técnicos de la nueva ciencia dictaminaron otra cosa.

El gran doctor Escipión Gómez emitió un dictamen que causó la consternación de la familia.

La opinión básica del doctor Escipión Gómez es que la culpa de lo que les pasa a las hijas la tienen las madres.

«¿Pero cómo, si la madre estaba muerta?», fue la objeción que le hicieron.

«Yo sé —opinaba el doctor— que fue una mujer de grandes escotes, lo más imperioso de ella, sin que pudiera ponerles límite la mano del "arquitecto-marido". Ella sobrepasaba la línea divisoria. Así esa hija que adoraba a su madre y que tenía el recuerdo de esos escotes profundos y anchurosos se tiró al lago víctima de ese complejo.»

Todos enmudecieron preocupados y dudosos ante las palabras del doctor Escipión Gómez, pero les quedó la impresión de una extraña posibilidad frente al naufragante escote del lago triste.

CONFLICTO DEL PERFUME

Todo había sucedido con la impunidad con que suceden muchas cosas.

Toda la vida es Celestina de toda la vida.

Ernesto se dio cuenta ya en la escalera y volvió a llamar a la puerta de Adela.

Notó al entrar que ya estaba un poco borrado el recuerdo de él en ella, pero sin embargo, el perfume se encarnizaba en su jaula:

—¿Qué te pasa?

—Que no puedo llegar a casa oliendo a tu perfume. Dame el frasco. Se lo regalaré a mi mujer. Por lo menos desde hoy tendréis el mismo aroma, dos flores en disputa.

—Lo malo es que está mediado.

—No importa. Llénalo de colonia, de alcohol de quemar. De lo que sea. Yo simularé acabarlo de abrir y me echaré como al descuido las primeras gotas en la solapa y en la cabeza.

Así el mismo perfume apagó el perfume de la falta, acrecentándola más en el fondo, pero poniendo en ella una sonrisa de ironía y de cinismo.

Sólo oyó Ernesto como una reconvención inconsciente pero mordedora de su conciencia:

—No me acaba de gustar este perfume. No tienes buen olfato.

LA CAMPANILLA DE PLATA

Hacía muchos años —ya tenía ochenta y seis— que hacía sonar su campanilla de plata a las seis de la mañana.

Los vecinos que a esa hora estaban despiertos —pocos—

oían aquellas notas argentinas que despertaban dulcemente al día como si el cordero pascual del alba trajese colgada al cuello la dulce campanilla.

La anciana ponía en pie a la servidumbre que aún la llamaba «la niña» y se corrían las cortinas del telón de una vida feliz.

El asmático oía aquella campanilla con envidia, pues señalaba un despertar tranquilo, voluntario, cuando él no había podido dormir en toda la noche. Quizá la campanilla le «despertase al sueño», pues muchos días se comenzaba a dormir después de oírla.

En los días grises la animosa campanilla ponía si no un rayo de sol, un rayo de plata que colgaba su medalla al día.

Alguna vez había sobresaltado a todos tocando fuera de hora, quizá en un sobresalto de la noche, en una falla momentánea del corazón. El auxilio en la cama de unas gotas de estrofanto aliviaron la perentoria llamada de auxilio hecha desde el fondo del sueño como desde el fondo del mar la hace el buzo que se ahoga.

De nuevo se refacía el orden de la madrugada y volvía a sonar a las seis como con un afán de tomarse de la pasarela del albor, sospechando que al ganar el escalón del nuevo día, ya estaba a salvo un día más.

Hasta que en una alborada, como si precisamente la campanilla de plata hubiese despertado las asechanzas de la Escondida, en vez de sonar con sus notas desgranadas y nítidas, sonó a ruido de campanilla caída.

LA VIUDA DEL CÉLEBRE

El gran abogado de los asuntos difíciles recibió la visita de la viuda del gran hombre, esa viuda que tarda un rato muy largo en pasar su manto de crespón por la puerta entreabierta de los despachos.

—Señora, muy honrado con su visita. ¿En qué puedo servirla?

—Pues quisiera divorciarme de mi marido, como sea... Por eso vengo a verle a usted, que es una eminencia del foro.

—¿Pero por qué ese empeño?

—Porque no quiero ser la viuda de un hombre tan célebre... Así yo guardaría en mi corazón su recuerdo, pero nadie vendría a preguntarme cosas, a hacerme homenajes, a fotografiarme cuando más descuidada estoy...

—Señora, lo comprendo, pero no me puedo encargar de este asunto... No es viable. Mi impopularidad sería atroz y además el presidente del tribunal no podría admitir la demanda.

La viuda del «célebre» se puso de pie y después de saludar se envolvió en su larga pena y desapareció.

FAUSTA, NO FAUSTO

¿Por qué hay la leyenda de varios Faustos y ninguna de una Fausta mujer? ¿Cómo siendo el hombre un resignado con la vejez y la mujer una disparatada rebelde contra las arrugas, no ha aparecido la vieja rejuvenecida por el diablo? ¿Cómo siendo una compradora de todo a plazos no compra la juventud luciferiana a crédito de su alma?

El caso es muy simple. El diablo recibe peticiones constantes de rejuvenecimiento a cualquier precio hechas por muchas señoras que no se conforman con su suerte, pero tiene detrás de él, a espaldas de la mesa de usurero en que se sienta, un cartel que dice:

«No se fía a las damas.»

Eran demasiadas mujeres las que le porfiaban y no eran las buenas, las trabajadoras del hogar, las que le interesaría engañar para adquirir sus almas, sino las coquetas, las superfluas, aquellas de las que ya sabía que era dueño de sus almas.

Por eso no hay en la literatura universal una Fausta, sino a lo más las que no queriendo pasar por la lógica del envejecimiento sereno, digno y arrugado, son las brujas que trabajan en competencia con Satán.

POSTRE PARA LOS PÁJAROS

Había buscado diferentes expedientes para poder vivir. «Corrector de estilo en documentos y cartas de importancia», «Consultor de esperantistas», «Mediador en amores rotos». Nada. Nadie llamaba a su timbre.

Entonces se le ocurrió lo de los pájaros y preparó una mezcla de golosina para los pájaros, engañosas y dulces migas entre granos de maíz y trigo triturado, todo según el tamaño del alpiste y de los cáñamos.

Los pájaros son caprichosos, frívolos y capaces de dejarse engatusar con aquel engañoso alimento, pero también capaces de no probarlo.

Picaron y no daba abasto para despachar tanto pedido.

Así es la fortuna. A los seis meses tenía una gran fábrica, en cuyo cartelón de muestra decía:

GRAN USINA
DE PRODUCTOS
ALIMENTICIOS AVÍCOLAS

LA HIJA DEL MILLONARIO

El enamorado de la hija del millonario estaba loco de celos, pues un joven muy bien puesto y gallardo la seguía a todas partes como verdadero dueño de su corazón.

Por fin en un alto de la fiesta pudo acercarse a ella, que le escuchó con displicencia de lámpara de largo pie.

La rosa artificial que llevaba prendida al costado parecía ir creciendo, según pasaba el tiempo, y ese fenómeno

esplendente le enmudecía en aquel diálogo que era más
que nada un monólogo.

Estaba humillado como un cambia discos en una reunión
elegante. Ella cuando se callaba lo miraba como preguntándole:

—¿No pone usted otro?

Él aguantaba porque quería llegar a hacerle una pregunta, sólo una pregunta.

Por fin, al final de la reunión pudo hacérsela:

—Ese joven que no se apartaba de usted, ¿es su novio?

La millonaria se volvió desdeñosa y triste.

—Es mi detective.

MANICOMIO RUSO

Era un manicomio extraño lleno de hombres de endri-
nas barbas.

El director que se lo enseñaba le dijo ante uno de esos
barbados, pero ya con la barba blanca:

—Aquí tiene al que se cree el general ruso que dicen
que raptamos en París y del que no se volvió a saber nada.

Aquel viejo corpulento y vencido miró al psiquiatra ex-
tranjero con una mirada tan verídica que se fue conven-
cido de que era el verdadero general raptado en París y
para mayor verificación le dio disimuladamente una tarjeta amarillenta con nombre y su dirección cuando Lenin-
grado se llamaba San Petersburgo.

GESTO CON LA BOTELLA

La rubia de los cabellos cortos que a cualquier movimiento la cubrían la cara hizo un gesto gracioso con la
botella banal de la C C C poniéndosela en la sien como
una pistola.

El psicólogo dijo: «Esa muchacha propende al suicidio»,
y, en efecto, sin tardar mucho se disparó en la sien un
tiro de verdad.

EL ARMARIO DE LA QUINTA

En el vasto armario negro de la casona estaba la proveeduría general del hogar campestre, las sábanas que fuesen necesarias, las frazadas, las sombrillas, los mosquiteros y hasta las velas y candelabros que precisase el banquete.

Misia Bernarda era la encargada de sonsacarle las cosas que se necesitaban, hasta que un día, después de una tormenta, al levantar unos manteles, ¡zas!, un rayo escondido saltó sobre ella y la carbonizó.

EL RÍO COLORADO

Nadie sabía por qué aquel río tenía las aguas rojizas, ya que nacía con la cristalinidad natural de su ojo de agua y el cauce era de tierras grises y gredosas.

¿Qué había pasado?

Una cacería.

El ciervo que quiso redimir a los ciervos, dulce, pacífico, y en cuyos ojos estaba la elocuencia de la salvación, se desangró herido y desgarrado por los perros en el lecho del río, sin que pudiese dar con él, afondado por la gran cornamenta del mártir, y desde ese pozal profundo aún manan hematíes de la víctima simbólica.

LAUDA DEL SEÑOR FEUDAL

El señor Feudal había dejado todo dispuesto para que su sepulcro fuese suntuoso: el mejor escultor, el mejor mármol, el mejor hueco en su capilla.

En efecto, su estatua yacente fue majestuosa, con orla de escudos y dragones.

El escultor la había embellecido dándole un perfil y una tersura que nunca tuvo, dotándola de una esbeltez que le hacía aparecer erguido, aunque estaba tendido. Pero es-

tatuado había sido tan maligno y cruel que el mármol
adquirió una purulencia tal, que se fue desbozando la figura, y al final quedó como esas estatuas que naufragaron y
a las que el mar, al cabo de los siglos, agusanó como a
las madréporas.

MATAESPEJOS

«Mataespejos» había logrado la muerte de algunas personas de su intimidad rompiendo espejos bajo la aviesa
invocación de sus nombres.

Sólo él sabía en la sima de su conciencia cuántos habían
sido sus crímenes por ese disimulado procedimiento.

Cuando se dio cuenta por primera vez de la alevosa
consecuencia fue cuando a raíz de la rotura del primer
espejo vio morir al hermano que envidiaba.

El Caín de los espejos sólo tuvo su castigo cuando al
querer matar a la mujer rompiendo el espejo del armario
de luna encontró entre cristal y madera la carta de la
infidelidad, y fue él el que se murió.

EL MISMO ALMANAQUE

El viudo inconsolable no sabía qué hacer para no salir
del recuerdo de ella.

Lo que más lo desconsolaba era quitar las hojas del almanaque, como si cada hoja lo apartara más de los días
felices.

Temblaba al ver adelgazar el taco, como si se quedase
en esqueleto el árbol en que anidó su amor.

Al volver la esquina de ese almanaque, ella iba a quedar
detrás del horizonte visible. Eso no podía ser.

Y el viudo inconsolable acaparó almanaques de aquel
año que iba a morir y se guió por ellos en años sucesivos,
equivocado de días y de lunas, pero repitiendo aquel año
sin tener que pasar por la tristeza de los aniversarios.

RETRATO SOBRE RETRATO

Por despecho el gran pintor había pintado el retrato de un viejo sobre aquel divino rostro de mujer.

El ensañado castigo hubiera pasado inadvertido si la mujer herida en su amor propio no hubiese propalado la profanación.

Bajo un paisaje, una escena de costumbres, quizá bajo la máscara de otra mujer, estaba oculto el rostro de Cintia, la más bella mujer del Renacimiento.

Los anticuarios y los restauradores, que todo lo huelen, dieron con el cuadro palimséptico, y con espátulas y reactivos lograron volver a la vida el rostro lívido pero bello de Cintia.

LA NIEVE Y LA ESTRELLA

Nadie podrá apalar y quitar la nieve del polo.

Debajo de esa nieve hay tesoros, y está el gran brillante de la corona de la tierra.

Sólo si ardiese la nieve aparecerían el oro, el platino y todos los uranios que cubre el blanco y frío elemento.

¿Pero cómo lograr ese absurdo de que arda la nieve hasta consumirse?

Sólo se incendiaría la nieve si cayese una estrella en su regazo.

DIARIO DEL PRESO FELIZ

Fue sentenciado a cadena perpetua, pero inventó para salvarse a la abrumadora sentencia la estratagema de llevar un diario íntimo en que describía la vida que iba haciendo como sucedida en libertad: «Hoy en Niza...» «Hoy en El Cairo...»

El director del presidio al enterarse del caso le llamó reprendiéndole duramente porque aquel diario con sus suposiciones significaba un acto de evasión prohibida por leyes y reglamentos.

Despojado de su diario fugativo el preso feliz se murió de tristeza.

DISCUSIÓN SUPERFLUA

Los dos eternos discutidores se habían guarecido en el templete de la música cuando comenzó a caer la gran tormenta eléctrica y pluvial.

Se cumplía en los dos un sueño de niños viendo la tempestad —tan partitura de quiosco musical— desde el tribunicio púlpito de las bandas militares o municipales.

De pronto una exhalación cayó en la cresta del templete.

—Ha sido una centella —dijo el uno.

—Le digo que ha sido un rayo —dijo el otro.

—Un rayo tiene rúbrica.

Y como dándole la razón y rubricando la sentencia de muerte de ambos, cayó un verdadero rayo que los carbonizó a los dos.

TRAJES PARA LOS SUEÑOS

Llegó a hacerse trajes para toda ocasión, trajes de acuerdo hasta con el empapelado de sus habitaciones o de las casas en que era asidua visitante, tan miméticos que a veces no se la encontraba.

—¡Ida! ¡Ida!

Pero Ida en su manía de hacerse trajes llegó a encargarse galas para los sueños.

—¿Y este traje rayo de luna con volantes de hoja seca?

—Éste porque ahora sueño mucho con terrazas.

HUELLAS EN EL ESPEJO

Cuando ya estaba realizado el crimen pluscuamperfecto, el elegante caballero se acordó que había apoyado la mano en el espejo.

Sin darse cuenta, por eso de que en los espejos no queda la huella del crimen por más de que lo hayan visto cometer, tuvo ese descuido irreparable.

¿Cómo borrar aquel digitalismo que le iba a perder? Sólo una mujer puede entrar en la habitación del «suceso» llena de gente, y acercándose al espejo limpiarle con el pañuelo y añadir a sus labios la sonrisa roja con su lápiz de bolsillo.

Buscó a la enamorada de los negros desaires, que era precisamente la única capaz de hacer todo por él, y en las narices de la policía que descorchaba muebles y observaba alfombras, una linda mujer vaheaba el espejo y después se ponía *rouge* displicentemente.

ESCRITO EN EL POLVO

Muchos años después de su desaparición, entró en el palacete que había quedado cerrado un día, cuando ella se fue cansada de tanto esperarle.

Todo estaba cubierto de polvo y las telarañas se habían dedicado a entretejer tapices con lejanos paisajes.

Todo había cicatrizado en aquella larga ausencia, menos algo que le impresionó hasta lo más hondo, un «¡Adiós!» escrito con su bella letra de las Ursulinas, sobre la tapa del piano de cola y que respetado por la superposición parecía acabar de ser escrito con el dedo vivo de la despedida.

EL PÁJARO ESCAPADO

No se debe perseguir al pájaro que se escapa.

Hay que saber reconocer que tiene un destino que se liberó y ya es imposible torcer ese destino.

El pájaro que voló puede estar en el tejado, en el balcón lejano, donde sea, pero hay que dejarlo ir, soportar que se haya salvado.

La señorita rubia no tuvo en cuenta esos malos presagios y quiso volver a capturar su pájaro rengo.

La marquesina de cristales relucía como una pista de patinaje, ofreciéndose al resbalar del ágil pie y el pájaro estaba quieto al borde de ella.

—¡No vaya! ¡No vaya!

—¿Y que se lo coma un gato? No sabe volar y además es rengo.

La señorita rubia corrió por la marquesina, y ya estaba cerca del pájaro cuando se hundió bajo sus pies un cristal y cayó por el hueco matándose.

Al pájaro que escapa no hay que perseguirlo, porque el aturdimiento y el abismo se alían contra el perseguidor.

LA MANO EN LA HERIDA

La verdad es que aquella carta de amor era de una muerta que se la traspasó a su amiga porque no quería que muriesen sus apasionados conceptos y la hizo jurar que se la traspasaría a otra joven cuando ella se sintiese vieja.

Él, ciego de celos no quiso saber de nada cuando encontró la carta y la hirió de muerte.

—¡Señor, Señor! ¡Salvadla! —gritó al cielo cuando se dio cuenta de lo que había hecho.

El Señor compadecido respondió con una voz que no se oía desde tiempos de Caín:

—Vivirá mientras contengas la sangre con tu mano.

Y aún vive la apuñalada porque su enamorado aún tiene la mano puesta en la herida.

EL BÁRBARO DE LA VERBENA

Ese falso termómetro ni centígrado ni Reaumur que se alza en medio de las verbenas y alrededor del que se congrega numeroso público, como si en medio del grupo hubiese alguien en pleno ataque de alferecía, es el gran brazo de las verbenas, su brazo derecho, el brazo de madera que perpetuamente está queriendo abrir el paraguas que tiene en lo alto, dirigido hacia el cielo, como ese señor que cuando caen las primeras chispitas quiere abrir su paraguas y no puede porque se le han cruzado las costillas del varillaje.

En el centro del grupo que se congrega alrededor del falso aparato sísmico se oyen los más grandes golpes, como si herrasen al caballo de pezuña de madera, como si herrasen a *Clavileño*...

—¡Pum! —Podríamos señalar de qué calibre es ese ¡Pum! ; ese ¡Pum!, desde luego, es de versales del tipo 12: ¡PUM!

Después, al poco rato, otro ¡Pum!, resulta más discreto y como de versales del 10: ¡PUM!

El paraguas sólo intenta aletear, como esa ave negra que después de haber parecido que se iba, que se escapaba, se vuelve a asentar sobre el mismo sitio, plegando más las puntas de sus alas.

Numerosos ¡Pum! se repetían en la tarde, como golpes del furor de los borrachos. ¡Pum!... ¡PUM!... ¡PUM!... ¡PUM!...

Uno de esos ¡Pum!, uno seco y largo, ¡PUM! logró abrir el paraguas de verdulero en lo alto de la cucaña —ese paraguas de la jirafa, desairado tan en lo alto. Un ruido de quitasol de grueso varillaje que se abre, se oyó en lo alto, y después de abierto, como si ya hubiese pasado la tormenta o hubiese resultado una falsa alarma—, el brazo del tío del paraguas volvió a dar al resorte del puño y lo volvió a cerrar.

Nuevos ¡Pum! de todos los tipos se volvieron a escuchar, hasta que de pronto, como si hubiera habido una catástrofe, un hundimiento o un pisotón dado al terráqueo, se escuchó un ¡Pum! descomunal:

¡ P U M !

siendo tan instantáneo como el rayo lo es al trueno, cuando la tormenta está sobre nosotros, el que sobre el cielo se abriese un inmenso paraguas quedándose a oscuras la tarde...

Tanta fuerza había desplegado el bárbaro verbenero, que el terrible embate del golpe del martillo había hecho abrirse el plegado, misterioso y reservado paraguas del cielo, el inmenso e insospechable paraguas de Dios, destacándose sus puntiagudos bordes de murciélagos sobre el mismo horizonte, y quedando todos guarecidos bajo él, como niños debajo del paraguas del padre...

EL LANCEADOR DE RAYOS

El relámpago es la única luz que penetra en el fondo del alma, iluminando por un momento su concepto oscuro y extraño. (¿Qué trasto es ese que vemos a la luz súbita en un rincón?...) Como no es más que instantáneo, no podemos ver bien qué tenemos en ese sótano. Algo, sin embargo, de terrible, de fatal, de alta experiencia queda impresionado en el alma después de esa luz, algo como un secreto nuestro que no sabíamos y que no sabremos guardar. Cosas que hay entre esa luz y nosotros quedan impresionadas en la placa del alma, como si hubiesen dado al botón de la máquina de instantáneas. Esas cosas misteriosas que quedan inculcadas en el alma los días de tormenta, aparecen en nuestra memoria o en nuestras decisiones más tarde, cuando menos lo pensamos. En los niños, las primeras impresiones fijas de la vida las han creado los relámpagos.

En el fondo del alma hay, desde luego, varias culebrillas de luz —lombrices del alma— y como paisajes de tormenta, y una chimenea de fábrica sobre la luz vívida del relámpago, y un pino despeinado y detallado sobre la misma luz, y un tejado con buhardillas espantadas.

El relámpago es la rúbrica nerviosa de Dios en el día de firma, el día en que firma sus Reales decretos, el año económico o el año mortal, con todas las defunciones que han de acaecer.

El relámpago es también como para nosotros en pequeño —nosotros no tenemos sino los pequeños Kodaks de nuestra alma—, para lo alto en grande, pues es el gran golpe de magnesio que impresiona, en lo alto, el fondo de los abismos y las perspectivas de los valles con sus ciudades y sus pueblos.

También son los relámpagos los trallazos contra las recuas tardas que no pueden con las pesadas nubes de la tormenta.

Las nubes de la tormenta transportan las algas salobres e iodadas de la tormenta, y una especie de tomillo de la tormenta. La tormenta parece que lo que prepara en la ciudad es un fantástico gazpacho.

Bajo esa excitación de la tormenta hay un hombre que, como el Cid, arranca de la pared la tizona colgada de través, o como Don Quijote, cuando requiere su lanza apoyada como un plumero de techos en un rincón de la crujía del patio, sube a los tejados y desgaja el pararrayos, un enorme pararrayos que en la chaparra casa resulta tan desproporcionado como la lanza de Don Quijote, cuando descabalgado de su *Babieca,* tiene que montar en *Rocinante.*

Ya el hombre de cejas cruzadas y zigzagueantes como el relámpago, con el pararrayos en la mano, enguantada de goma, se encamina a las afueras, solemne como un alabardero en los pasillos de palacio, y busca el sitio en que la tormenta tiene su centro, el sitio que cae bajo el tragaluz de los rayos, y allí se planta como un guardián, y los rayos comienzan a caer en su alabarda como banderines, como corbatas de bandera, como lazos de metal para decorar la punta, como lo está la de la lanza de la victoria.

El brazo del lanceador de rayos vibra con cada rayo. Todo él siente la voluptuosidad y la emoción, saboreando sus rayos como el que se come un plato de angulas, preparadas a la bilbaína, en el aceite que viene hirviendo en la cazuela.

El lanceador de rayos los va contando, aunque, a veces, no le da tiempo, porque se suceden como si buscasen igual que libélulas enamoradas que viniesen jugando tras sí desde muy lejos, desde el jardín de Dios.

Después de un largo rato en el que él se siente inter-
mediario de algo divino, a la par que siente ya acabada
la tormenta, vuelve a su casa con la lanza sobre el hombro, como el pescador cansado lleva la caña en su viaje
de vuelta, el cazador la escopeta y el lancero su lanza
después de la batalla. Al entrar en la ciudad se siente el
libertador que ha defendido a todos de todos los rayos
que le estaban destinados. Sólo en su casa entra con sigilo,
sube directamente al tejado, donde vuelve a colocar, como
un asta de bandera, el alto pararrayos y, después, entra
con sonrisa hipócrita y frotándose las manos en el gabinete
de su casa, donde está toda su familia congregada, tran-
quila, sonriente, sintiéndose defendida, porque en la hora
de la tormenta todos han sentido la protección del magnífico pararrayos de su casa, la única que en la manzana
tiene esa lanza de San Jorge, y que por eso no necesita
encomendarse a Santa Bárbara y encender la vela de las
tormentas, que llora lágrimas de miedo durante el temporal.

NUEVA TEORÍA DEL FINAL DEL MUNDO

El sabio Ard, en una interviú reciente, ha dicho a pro-
pósito del fin de la tierra como planeta habitado por el
hombre: «No esperéis que todo desaparezca con nosotros;
no, no es imprescindible para la creación eso. Sobre todas
las predicciones de muerte que se han hecho, yo tengo mi
teoría especial, que desconcierta, por lo menos, todas las
demás... Se sabe que una casualidad rara e imprecisable
preside los nacimientos en lo que respecta a que sea varón
o hembra la criatura... En esa casualidad no hay razón
para que los dos sexos se equilibren en número... Esa casualidad ya hace años que, según lo que se desprende de
mis estudios hechos sobre las estadísticas, viene trastornada.
En todo el mundo la natalidad de mujeres es mucho mayor que la de hombres.

»En este último año, y en diferentes ciudades, he compro-
bado que casi todos los recién nacidos son hembras. La

casualidad, igual puede ser un acuerdo que un desacuerdo, y ahora es un acuerdo en este sentido. Esta demasía de hembras, que dentro de veinte años serán mujeres, traerá una absorción de los hombres, que les debilitará y les deprimirá, suprimiéndoles ya entonces, en ese segundo período del accidente, por dominación, por ferocidad, y eso acabará de decidir la gravedad del desequilibrio... Así todo, unos cuantos hombres, una docena, sobrevivirán al sexo, pero morirán jóvenes como los elegidos de las mujeres, y ellas, en un mundo solitario, serán las últimas moradoras... Así el azar puede adelantar el final del mundo de los hombres, hasta fijar la fecha del siglo XXI como fecha final... Y el mundo tendrá un resto de vida, despoblado, airoso, feliz, durante muchísimos siglos, después de ese acontecimiento accidental.»

PICADERO DE CABALLOS DE BRONCE Y DE MÁRMOL

Desde mi balcón, frente a la explanada de las afueras, veía la escena curiosa de un caballero pálido, con melena y chalina, jinete de un caballo de bronce al que parecía estar amaestrando.

Como es muy difícil el salto de la realidad a la irrealidad suma, tardé en comprender que aquel hombre era el escultor que preparaba así sus futuras estatuas ecuestres, evitando sus espantadas en el futuro, componiéndolas para la actitud más elegante.

EL HOMBRE DEL JARDÍN

Éramos compañeros de jardín público y yo le seguía con la vista, porque era a las claras el hombre que va desapareciendo lentamente ; pero como en lo lento también hay prisa, desaparecía a ojos vistos.

Un día se me acercó y me consterné mucho, porque aquella decisión después del mucho tiempo en que ni nos

habíamos saludado, iba a significar algo grave. Con voz
tímida me dijo:

—Caballero, querría saber sus señas porque espero que
usted me permita que cuando suceda lo que a todos nos
tiene que suceder, yo le pueda remitir mi esquela de defunción, pues usted sólo sabrá así quién ha desaparecido.

—Muy honrado —le dije, y cambiamos tarjetas en aquel
desafío de jardín, saludándome después y apartándose con
aquella distinción que le caracterizaba, aunque el sombrero, por disminución de la cabeza, se le hundiese cada
vez más.

JOROBA DE ORO

Era un hombre inmensamente rico, pero inmensamente
avaro, que resultaba cheposo hasta con gabán de piel de
camello.

No daba nada a su mujer por más que ella le pretextase
que ya estaban deshilachados los codos.

Pero la mujer siempre encuentra algún medio para sisar
al marido, y por eso, cuando de noche él la pedía que le
rascase la joroba ella empleaba bien sus uñas y le arrancaba algún oro de la joroba y lo guardaba para sus
compras.

SORPRESA

Cuando al acabar la ceremonia del entierro se extravía
uno por entre las tumbas como buscando la propia, me
salió al encuentro la tumba de una «Ella» olvidada que
no sabía que estaba enterrada allí.

En mi asombro y retorsión pensé en dejar una ofrenda
floral sobre su losa.

¿Pero cómo? ¿Trasladar flores de otra tumba a la suya?
Ni agradecido por ella ni perdonado por la despojada.

Entonces arrojé mis guantes sobre la sepultura y seguí
mi camino.

EL AGUJERO EN EL GABÁN

Sólo se sabía que el que disparó en el *hall* del hotel lo había hecho sin sacar el arma aprovechando ese desgarbado momento de ponerse los gabanes los que salían del banquete.

A ese alguien le debió quedar un agujero en el gabán que por muy bien zurcido que estuviese lo había de notar la lupa policial.

En efecto, cuando salió jugando con la chapa de su gabán al acabar la obra en el teatro en que había sido señalado, los detectives de los guardarropas se dieron a conocer y le detuvieron.

LOS JAMONES FANTASMAS

En el colmado siempre colgaban siete jamones vestidos con traje interior de punto.

—Son campanas que dan alegría al trasnochador —solía decir el dueño.

Los asiduos desconfiaban de aquella presunción jamonera, y una noche los más trasnochadores, en la tienda a medio cerrar, cuando ya está turbio todo y el alba entra a beberse la primera copa, vieron cómo los siete jamones huían por la ventana, como verdaderos fantasmas que aprovechan la hora sin nadie para estirar un poco las piernas.

DON ETCÉTERA

Aquel maestro tenía el truco de los etcéteras y acababa el primer ejemplo que ponía con una escalera de etcéteras.

—Porque la historia tiene héroes como César, etc., etc.

—Porque hay cereales como el trigo, etc., etc.

Los alumnos aguantaban aquellos etcéteras, pero se les

fueron indigestando como algo duro, insustancial que les caía en el estómago y no pasaba de allí.

Un día todos los alumnos cayeron enfermos, como víctimas de una indigestión colectiva, y el parte facultativo hizo notar que todos estaban intoxicados de etcéteras.

DIÁLOGO CON EL LORO CENTENARIO

Aquel loro era más que centenario porque en la casa de los de Pomeruclos llevaba cien años, ¿pero y los que anduvo a gatas? ¿Los que tenía cuando lo adquirieron con el palacio?

Como a todos los centenarios le preguntaban por Napoleón.

—¿Conociste a Napoleón?

—Sí, era un hombre pequeño y regordete que me enseñó a decir «¡Mecachis!»

—¿Te parece que han variado las costumbres?

—¡Ya lo creo! Antes me daban más jícaras de chocolate.

—¿Notas la diferencia del tiempo?

—Estoy indignado desde que han inventado el loro mecánico, el loroide, el gramófono y la radio. ¿Cuál va a ser la misión del loro en adelante? ¿Tendrá que desaparecer?

Ésa es la obsesión de loro que pasó la centuria.

EL TRASNOCHADOR EN EL CIELO

Cuando llegó el trasnochador al cielo como no tenía más vicio que trasnochar inocentemente —por eso no acabo de ver ese vicio un impedimento para que entrara en el cielo— pidió una llave para salir de noche.

Se consultó el caso, se oyeron muchos cuchicheos y por fin le dieron una llave para que se pudiese pasear de noche por la región de las estrellas.

Pero era la llave tan enorme y tan pesada, que se cayó con ella al abismo y fue a dar al purgatorio donde de paso había de purgar su condición de trasnochador empedernido.

AVARO Y PELETERO

Al poner la peletería se creyó un domador de pieles y las trataba con verdadero ensañamiento.

Creía tener lobos, zorras, osos, y les zurraba con su látigo, con el pretexto de la polilla.

Era un especialista en ojos rasgados —pardos o azules— que incrustaba con verdadero arte en las cabezas de agudo hocico. Aquellos ojos de lince de sus gatos monteses tenían también iracundia de chacal.

Las mujeres temblaban al sentir en sus manos aquellas pieles más vivas y fieras que las de los otros peleteros, y les tentaba el peligro y solían comprar a plazos lo que el peletero les ofrecía.

El peletero despertaba sus pieles a la hora de cerrar, cuando se quedaba en la jaula del cierre metálico echado y había alguien que aseguraba que había oído alguna vez gritos lastimeros de fiera acorralada.

Sobre todo se ensañaba con su látigo de las siete colas con las pieles que era difícil vender, que se le quedaban rezagadas, entorpeciendo su negocio.

Hasta que un día fue mordido por una piel rabiosa y hubo que ponerle cuarenta inyecciones de dos litros cada una para que no rabiase.

LA POLILLA DEL ORO

En el Korlan Bank se han encontrado atacadas por una extraña enfermedad las reservas de oro.

Como es el Banco que menos ha movido sus existencias en oro, al oro quieto le ha entrado una especie de apolillamiento.

Según los economistas, doctores del oro, el oro necesita circular, vivir, ser dije de cadena de reloj, sonar sobre mesas de mármol.

Si el oro sufre esa prisión diez años más en las cajas de los Bancos, no se encontrará en ellas más que un polvo de purpurina, bueno para pintar estatuas cursis.

EL JARDÍN BOTÁNICO SALVAJE

No pudo sostener el Estado aquel jardín botánico adornado con demasiadas plantas exóticas y poseedor de los mejores árboles del Indostán.

Los catorce botánicos que lo cuidaban fueron suspendidos de empleo y sueldo, y sólo quedó un guardián de la puerta.

El jardín botánico solitario se dedicó a los cruces más extraños y la sófora japónica se enlazó con el almez común.

La indisciplina en un jardín botánico es algo pavoroso, y todos los árboles, arbolitos, arbustos y macetas se arrancaron el cartelito del cuello.

Pero nada de eso hubiera sido malo en la rebelión de los árboles y en la confusión del jardín botánico si no hubiese sucedido que de entre la maraña que había borrado senderos y plazoletas surgieron tan temibles serpientes y tal desgreñamiento de víboras, que hubo que envenenar y quemar al botánico en libertad.

LA MUJER CLARA

La tormenta había puesto oscuro todo el cielo como si se hubiera vertido el tintero de Dios.

«¿Va a estallar? ¿No va a estallar?», se preguntaba deshojando las varillas de un paraguas, el que está impaciente por salir.

Todos los balcones miraban al cielo con negror, como órbitas vacías de las casas.

Como ante toda tormenta, ante aquélla se sentía la sospecha de que su lluvia fuese de plomo.

¿Sería una de esas tormentas que pasan como un eclipse breve sobre la ciudad?

Ésa es una cosa misteriosa que parece decidirse a cara o cruz en el cielo.

EL RELOJ DE LA RISA

Como el inventor sabía que las películas cómicas necesitan si son musicales una carcajada cada dos minutos y si son sin música se puede permitir una carcajada cada veinte segundos, ha inventado el reloj de la risa.

Es un reloj que cronométricamente lanza carcajadas cada medio minuto, cada minuto, cada dos minutos, hasta cada cinco minutos.

El reloj de la risa va a tener un gran éxito y ya ha sido empleado por algunos médicos para curar la neurastenia triste.

El reloj de la risa es un escándalo en las casas serias y despierta la hilaridad en los colegios.

El reloj de la risa alegrará las bodas, los bautizos, las reuniones de cumpleaños, las conferencias demasiado pesadas y hasta en la radio se podrá emplear el reloj de la risa en muchas ocasiones.

Por ahora tiene el tamaño de un despertador, pero pronto habrá relojes de la risa de bolsillo y la humanidad se reirá de pronto con una risa de ventrílocuo excelente e higiénica.

MÉDICO DE ORQUÍDEAS

Era un hombre de levita con sombrero de alta copa.

Le llamaban en el jardín cuando las orquídeas extraordinarias se ponían enfermas y a todas las hacía sacar la lengua, esa lengua sucia y saburrosa que tienen las orquídeas.

Después las ponía una inyección y el doctor en orquídeas se iba a su casa perdida en la ciudad.

EL CRIADO DEL MÉDICO

El gran doctor tenía un criado que cuidaba como nadie el orden de la consulta y era maestro en dar chapas con número a los clientes de alto coturno que podían ir a aquella consulta.

Confiaba en él, y a todo el mundo le aconsejaba que se entendiese con Andrés.

El sabio doctor abría la puerta de su gabinete de vez en cuando y gritaba:

—¡Andrés, que pase el siguiente!

Andrés adelantaba el turno del amedrantado, cuidaba al supersticioso, hacía entrar por la puerta misteriosa al que ya no podía más.

La consulta crecía de tal modo que Andrés llegó a cobrar prima a los enfermos, y ya puesto a gobernar aquel aglomerado de seres claudicantes, comenzó a actuar por su cuenta.

Muy en voz baja ya se lo sumurmujeaban los pacientes más vivos:

—Consulte con el criado mejor que con el doctor.

Andrés se lo decía bien claro a sus pacientes:

—Van a dar un paso irreparable viendo al profesor... Yo se lo puedo evitar. Conozco sus fórmulas y sus diagnósticos y además soy el único que sabe qué resultados dan. Yo sé los que vuelven, cómo vuelven y cómo los pobres dejan de volver un día... Yo puedo evitarles ese mal paso.

Así sólo los desahuciados por el criado pasaban a ver al doctor; pero como la consulta llevaba la progresión creciente de la fama, no notó el sabio que en su propia antesala le hacía la competencia su criado.

EL HOMBRE ANTIELÉCTRICO

Se había portado como un criminal impasible pero los psiquiatras que le habían tratado no habían dicho más que era una nueva manifestación del cínico.

Ganas de hablar porque en aquel hombre había algo tan serio, tan grave, tan inevitable que no se podía emplear la palabra «cínico» para representar su caso.

Había matado como un verdugo, no como un criminal, sin pasión, ni encono, sin frialdad siquiera. Su impulso merecía otro nombre, ¿pero qué nombre? Ahí estaba el problema.

Sólo al sentarle en la silla eléctrica para ser electrocutado se comprobó que la descarga no le hacía nada porque era el hombre antieléctrico, el aislador por excelencia.

Se le puso en observación y se le conmutó la pena porque era el insensible supremo y eso atenuaba su crimen.

LA UVA

Aquella mujer no era infiel, no había temor de eso.

La había observado por todos lados, en los más difíciles momentos, en las pruebas más duras.

Hasta había sentado a su mesa, para ver cómo reaccionaba, a don Juan y a don Luis, y ella permaneció impasible, distraída, con su vaga mirada de siempre.

Pero el celoso máximo que la hubiese abandonado al primer conato de infidelidad notó que ella dejaba una uva en todo racimo que picoteaba, una buena, rubicunda, comestible.

¿Para quién dejaba aquella uva? Esa uva era su contribución a la infidelidad, el único punto en que fallaba la mujer perfecta. ¡Qué lástima!

EL ARMARIO MISTERIOSO

El aristócrata nos llevó al armario de cristales opacos y emplomados y nos dijo:

Les voy a enseñar algo único... Mi esposa no quiere que lo muestre, pero ya verán que merece la pena...

Parecía que nos iba a enseñar libros incunables, ejemplares miniados, libros japoneses con ilustraciones de flores de agua, tomos encuadernados con estrellas y oro.

La mampara se abrió y aparecieron copas de plata sobre pedestal negro, las copas que había ganado en los concursos, las heladas copas consabidas.

Mirando a su alrededor por si aparecía la poética marquesa, nos preguntó:

—¡Eh! ¿Qué tal?

LAS PÍLDORAS DE LA SEÑORA

La señora de la casa a veces sale al comedor y se sienta en un asiento presidencial con un frasquito de píldoras o de gotas al lado de su plato.

Nunca se debe fisgar qué es y todos los invitados deben enviarle soplos de poesía, pan idealizado, para que no sea lo que puede ser, para que quede encubierto.

El confianzudo, el que nunca fue trovador de castillo y por lo tanto nunca fue invitado a comer en la mesa de la castellana, dejando la lira en el perchero, llega a tomar en sus manos el frasquito prohibido y le sucede de pronto lo que aquel que al leer el membrete de la medicina se enteró de que era una medicina para evitar que la barba prospere en las damas.

HOMENAJE AL LEÓN DEL PARQUE

El león y la leona del parque zoológico habían llegado al tiempo de sus bodas de diamante y a alguien se le ocurrió celebrar un homenaje en honor de ellos.

Se organizó una fiesta en que el alcalde puso una condecoración y una banda en el pecho del león y a la leona se le regaló un collar.

El discurso del alcalde fue notable y fue transmitido por la cadena de todas las radios zoológicas del mundo:

«Señoras y señores: se trata de premiar toda una vida de compañerismo y de cumplimiento del deber.

»Durante muchos años este león ha estado simulando fiereza, estimulando así con sus rugidos la asistencia del público al parque.

»Gracias al gran actor que es y a cómo ha caracterizado la dignidad del león en el desierto, ha habido domingo que se han vendido cincuenta mil entradas.

»Ya es hora de pensar en el retiro, y yo les prometo en el día solemne de hoy que se les buscará un puestecito de guardianes en alguna finca o en algún museo histórico.»

El alcalde fue muy aplaudido y la simpática fiesta acabó dando todos la mano al león y a la leona.

EL ESPEJO ACUARIZADO

Toda operación de faquirismo está llena de paciencia, de fijeza, de espera llena de fe.

La dama del salón verde con el gran espejo empotrado en la pared y con marco canoso y desvanecido, se pasaba los días mirando la luna del espejo donde se presentaban empañaduras extrañas como mantillas de bordados sutiles, leves movimientos de algas y de sargazos desflecados y vagos.

En el espejo había un hervidero de posibilidades y alguna vez como si el mercurio del plateado fondo ascendiese en burbujas, cruzaba su espacio una bolita como el suspiro de un pez.

Por lo que miraba tanto el espejo tradicional la antojadiza dama era porque lo veía como la base de un *acuarium* posible.

Alguna vez creyó ver pasar de un lado a otro el pez deseado, pero fue tan rápido y tan dudoso que creyó en una alucinación.

Hasta que un día al atardecer quedó iluminado el fondo del espejo con luz esmeralda y descubrió la perspectiva de las plantas acuáticas y vio cómo los peces comenzaron a pasearle el corazón de lado a lado del espejo.

CONTRATO EDITORIAL

El escritor esperaba que sus libros fructificasen en el sótano del editor y así sucedió un día después de muchos años de espera.

Entonces el editor le dijo:

—Le hago un contrato por todo, un contrato según el cual su cabeza pasará a ser propiedad mía.

El escritor aprovechó el ofrecimiento y firmó la venta de su cabeza.

Pronto se comió los adelantos estipendiados y se moría por no poder ser libre, porque toda su producción era de aquel editor que ya no le pagaba nada.

Entonces publicó en otro editor una obra nueva.

—Esa obra me pertenecía —le dijo el editor que había comprado su cabeza.

—Esta obra que está teniendo más éxito que todas las otras obras mías no le pertenece.

—¿Cómo puede ser eso?

—Porque esta obra no ha sido escrita con la cabeza, sino con los pies.

EXPOSICIÓN CANINA

Por curiosidad primaveral voy a ver las exposiciones caninas, donde se ve la aberración humana de cuidar como a princesas de la casa de Antón los perros más feos y raquíticos.

Me gustan los perros de caza y admiro los galgos que son como garabatos espirituales.

Hay siempre sorpresas en las jaulas con almohadón o con paja y se descubre el perro melancólico y humano que nos dice con los ojos lo que nunca nos dijo un amigo.

Estando mirando al can melancólico de la temporada, tipo Plauto, enorme y desgarbado, oí que me decía:

—¡Sálvame!

No se puede oir eso a un perro sin acudir en seguida en su auxilio. Miré a mi alrededor, vi que no estaba cerca su guarda y tomándole de la cadena salí con él como si respondiese a mi nombre toda la vida.

Llegué a casa, le quité la cadena y el collar y el perro entonces, con los dientes, tiró de un disimulado cierre de cremallera y se quitó su disfraz de perro.

Era un hombre de esos que se parecen a un perro, pero se veía que era un desdichado humano.

—Yo era un golfo, es verdad, y por eso tuve que aceptar el oficio de perro de exposición, pero me estaba muriendo de tristeza. El perro puede ser hombre, pero el hombre no puede ser perro.

Le di un *whisky,* me contó sus aventuras y a la hora de cenar le abrí la puerta y después de sacudirse como un perro tomó el camino de la calle libre.

EL GOYA DE DON JUAN

No tenía mucho capital, sólo lo que se llama un capitalito para ir viviendo, pero había recibido de sus antepasados nada menos que el cuadro de 3×4 del maestro Goya, titulado *Las tres hermosas al balcón.*

En la sala principal, sobre el soto, el magnífico cuadro de Goya abría un balcón luminoso, hacia luces del pasado, asomadas las tres bellas figuras en espera de sus tres caballeros.

Los sobrinos de don Juan iban a verle muy a menudo y lo primero que hacían sus ojos era constatar que el cuadro estaba en su sitio. Parecían novios imberbes de las tres soberanas y maliciosas mozas.

—¡Es de lo mejor que hizo don Francisco! —exclamaba el que llamaba por su nombre de pila a Goya.

—¡Nunca pintó nada tan fresco el maestro Goya y Lucientes! —decía admirado el que no podía hablar del gran pintor sin decir su segundo apellido.

Un día decidió legárselo al museo y que allí no sólo fuese eterno recuerdo del gran pintor, sino epitafio de él

mismo, pues siempre quedaría constancia en la placa de
bronce de que fue legación de don Juan de la Cenizosa.

Sin embargo, se encontraba más solo que nunca porque
desde que supieron lo del legado, sus sobrinos no iban a
verle casi nunca y notó que miraban al cuadro con cierta
inquina porque eran como hijastros de un tío que había
dispuesto de la fortuna que era de ellos.

Fue triste y solitario el final de don Juan y después del
velatorio sin nadie —sólo las tres asomadas—, se hizo
almoneda de la casa y en la sala de Goya, en la luz de
la mañana eterna de los museos, aparecieron como un
amanecer de otro tiempo las tres nuevas Gracias y como
pequeño epitafio —tarjeta de bolsillo de los epitafios—
aquel «legado de don Juan de la Cenizosa».

¿POETAS EN MERCURIO?

El científico francés Durkein ha supuesto que en Mercurio hay poetas.

«En cada mundo —ha expuesto Durkein— tiene que
haber, por lo menos, los cantores de la gracia de ese
mundo. No se puede dar un brillante planeta sin poetas.»

El poeta de Mercurio tendrá un léxico deslumbrador,
pues allí, por la proximidad al Sol, todos los paisajes son
alucinantes.

Este poeta —supone Durkein— vivirá en el límite del
hemisferio caliente y el hemisferio frío, y cantará a la
tierra con las mismas frases con que nuestros poetas cantan a la Luna, pues la Tierra y Venus serán las lunas
vagamente iluminadas que dan luz a los territorios fríos
y nocturnales de Mercurio.

EL DE LA BUFANDA DE AHORCADO

A veces veo pasar al caballero de la bufanda de
ahorcado.

¿Que qué es una bufanda de ahorcado?

Pues una bufanda retorcida, adelgazada por los tirones, flaca como una cuerda de aforcar.

Toda la vida de ese hombre con bufanda de ahorcado está ahorcada y debería haber alguien que le saliere al paso y se lo dijese.

¡Dios nos salve a nosotros de llevar nunca una bufanda de ahorcado!

LA TÍA DEL NIÑO

Estaba tan floripondiado el jardín que la solterita Araceli, que había salido a pasear a su sobrino de cuatro meses, sintió una tentación rimborondante.

Sentada en el banco verde de las ideas seductoras, pensaba hacer con su mano ese giro de planetas que es sacar un seno y dárselo al mamoncillo.

El sideralismo oculto de los días obraba por persuasión con sus fuerzas de más a aquella hora.

La virginal muchacha contenía el gesto de pelotari venusina, pero la apremiaban los deseos del jardín y el haber concebido la idea.

¿Sí?

¿No?

A la una, a las dos, a las tres...

Y desabrochando su corpiño tuvo la tremulante alegría de poner su seno al descubierto en pleno jardín público, conseguida una preeminencia que sólo pueden tener las estatuas y las madres.

El niño jugó con la pura morbidez y un ejército de soldados de jardín comenzó a pasar por delante de la maravillosa falsificación del único gesto de impudicia permitido.

GAFAS PARA LAS ESTATUAS

El chiflado inventor decía haber logrado unas gafas para que las estatuas pudiesen ver.

—Las estatuas —decía como explicación de aquellas gafas violeta— tienen la facultad de ver lo retrospectivo

y lo presente, pero esa vista inmortal no pueden ejercerla
porque no tienen las gafas apropiadas, las gafas que yo
he inventado.

—Muy bien —le dije al inventor—, ¿pero cómo se podrá
saber que ven al fin, si son mudas de solemnidad?

El inventor se quedó cortado, pero rehaciéndose repuso:

—¡Ah! Ellas solas podrán saberlo, pero ya verá usted
cómo se iluminarán sus rostros como los de aquellos que
recobran la vista de pronto.

EL BUZO LOCO

Seguía las cabinas del naufragio, recordando los barcos
en que viajó como barcos igualmente naufragados, todos,
los que llegaron y los que no llegaron.

Encontró cabinas cerradas en las que parecía que una
mujer se estaba vistiendo el traje de baile del Ecuador,
mucho clip y poco traje.

Parecía llegar en busca de los pasaportes de la última
llegada y todos se apresuraban para dárselos, buscándolos
en los cajones llenos de retratos.

Tropezó su linterna con la cocina de tazas colgadas,
como en el paraíso de las tazas y los cazos.

Vio en el salón de escribir cartas con papeles de testa-
mento y comprobó la levitación del mimbre en el agua.

Encontró en los pasillos propinas muertas, camareros
que han preparado demasiado bien el cuarto de baño, camareros caídos junto a una ringlera de platos como si
jugasen grandes fichas con la muerte, celos de piernas,
apuntes de los días que faltaban por llegar, cánceres escapados a la ocultación en que los tenían pálidos y desan-
grados pasajeros.

Todo lo soportó, pero al abrir el pobre buzo del ojo
inmenso —de relojero de los barcos hundidos— el comedor de segunda con sus asientos verdes y su tertulia de
confinados, los muertos —sea por la corriente de agua que
se estableció o por la alegría de ver al buzo— se levan-

taron de sus asientos y se movieron en zarabanda de peces humanos, en brujería de corro de prendas, como si se hubiese dado música y movimiento a unos muñecos.

El pobre buzo espantado, sin poder soportar la visión de los desarzonados de sus asientos, salió corriendo por los pasillos y tocó el timbre urgente de insumersión.

Cuando le quitaron el aparato de ludión que le empecéraba la cabeza, prorrumpió en las carcajadas y los estornudos de la locura.

EL EXTRAÑO CIRUJANO

No querían sus compañeros, pero hubo que consentírselo. Era el gran operador y la mayor locura era permisible para él. ¡Se contaban de él tantas maravillas!

Magnetizaba a sus ayudantes y las enfermeras parecían, seducidas por sus manos, volando en el aire a un solo gesto de su índice.

Los mismos instrumentos venían a sus dedos como atraídos por una misteriosa imantación.

¿Pero cómo iba a ser posible aquel absurdo? Sólo había pedido que no hubiese ningún curioso. Sólo los suyos. Todo a puerta cerrada.

El profesor estaba en la cama de operaciones. ¿Pero cómo iba a operarse a sí mismo?

Se abrió la puerta de su despacho, y más cubierta la cara que nunca con la máscara antiséptica, más rígido en sus movimientos, como si fuese un viejo general, hizo los gestos preliminares ante sus ayudas atónitos.

La mano cloroformizadora temblaba y el bisturí saltó a la mano del profesor como un pez del que tira el anzuelo.

El profesor separaba y ligaba con su diestra impasibilidad de siempre, pero de pronto hizo un gesto de contrariedad como si se hubiese equivocado, y echándose mano al corazón cayó al pie de la mesa operatoria.

Se había matado a sí mismo por partida doble, pero todos sintiéndose cómplices por haber permitido aquella monstruosidad, disimularon entre los muertos anónimos del depósito al doble del profesor y velaron al hombre de ciencia en el salón principal del nosocomio.

LA SORPRESA DEL BAILE

Las sorpresas de los bailes de máscaras son inverosímiles, y un día apareció enmascarada doña Muerte y otro Napoleón hizo una eventual reaparición en la vida.

Pero lo que sucedió aquella noche aventajaba lo que las leyendas solían contar, porque había tenido toda la verdad de la realidad y, sin embargo, resultaba absurdo.

La rubia osada de los claveles rojos en el pelo, blanca y sangrante, había gritado con gritos de horror en el palco cerrado.

Pronto había cedido la puerta y mientras los defensores de la mujer insultada se agolpaban en su interior, los que miraban hacia el palco vieron cómo un caballero vestido con un dominó azul saltaba de palco a palco y desaparecía por el anfiteatro.

La rubia de los claveles rojos no podía ni hablar, y sólo el champaña la hizo decir con espanto:

—Mi pareja era un mono, un mono horrible que sólo me reveló la verdad en el antepalco.

—¿Pero le habló algo durante el baile? —preguntó el joven de las coartadas.

—¡Hay hombres tan silenciosos! —repuso ella.

—¿Pero no notó usted alguna señal particular en él?

—Hay tantos banqueros con una figura igual... Era galante, obsequioso y nunca brazo humano ciñó mi cintura como el suyo...

La policía y los organizadores hicieron caer todos los antifaces buscando al mono disfrazado, pero el dominó azul había desaparecido y el baile quedó lleno de inquietud ante esa suposición del mono convertido en hombre mundano y galante.

EL VIAJERO INDISPUESTO

Aquella mujer había sido una mujer emprendedora y decidida. Tenía algo de mujer de circo. Había viajado mucho hacia París en los primeros trenes lentos y pesados, de vagones grandes, obispales, que parecían coches familiares unidos a una locomotora. Conoció el París alumbrado por reverberos y la emoción que el nacimiento de la edad moderna producía allí. Yo la conocí ya sola, toda de luto, con un sombrero del que colgaba un copioso manto, un poco sorda, con los ojos muy ajaponesados por una vejez refinada ; siempre con una perrita al lado, una perrita de esas que ya no están lo que parecen y lucen treinta botones sobre su vientre hidrópico.

La historia de su vida era una historia extraña, con un poder de evocación que la hacía inolvidable. En uno de aquellos viajes a París se le murió el marido a mitad del camino. Como iba sola con él, hizo un gesto de gran locura cuando lo vio muerto, pero todo dentro de la más muda pantomima, pues comprendió que si el revisor se enteraba la harían bajar en un pueblo del trayecto, y en ese pueblo abandonado y desconocido, sin saber qué hacer con él, todo para después tener que embalsamarle y entonces continuar el camino a la capital, ella sola en un departamento y su marido como una mercancía en el furgón de cola.

Había que ocultar que había muerto, que en el tren que se movía se había parado aquel corazón. La importancia de la vida, el cómo la vida sigue viviendo intensamente sin pensar en el que cae, le daba ánimo. Así, hubo un momento en que volvió a parecerle que iba con el vivo, aunque eso se cruzase con la idea de que viajaba ya sola con su recuerdo, como ya viajaría siempre.

Lo colocó bien, lo arropó en la manta, le volvió contra el respaldo, le caló bien la gorra, tapándole con la visera los ojos, le buscó los billetes del tren y la cartera, como un ladrón, y así, cuando volvió el revisor, ella le dio los billetes

y le dijo: «Ese señor y yo.» Aquel «Ese señor» tan vivo y
tan viajero devolvió cierta personalidad viviente al muerto.

¡Inolvidable mujer fuerte aquella, a la que veré siempre
a solas en su vagón *matelasé* con el falso viajero dormido!

VOZ DE CONTRALTO

Era extraña aquella voz de contralto en la niña prodigio, pero se tendían a su alrededor tapices de concierto
para verla tan niña, tan pálida y vestida de negro cantando
con la voz de una alma mayor que la que le pertenecía.

La voz de contralto de la niña ponía en todas aquellas
damas vestidas de blanco, que sufrían el escalofrío de oir
penar a la acólita los pecados mayores que les pertenecían
a ellas.

Huérfana, era llevada de un escenario a otro y de salón
en salón por una tía suya que parecía cuidarla con un
esmero de madre.

La vida parecía rodear de lejos a la niña con conmo-
vedora voz de contralto, pero pronto se acercó a ella y
comenzó a colgar de sus hombros el chal de pieles, el
novio futuro.

Ella le acogió con anhelo de hacerle la confidencia suprema de su espíritu, y un día le dijo:

—No canto yo... Alguien canta por mí... Mi voz es la
voz de mi madre.

EL TOCADOR DE ACORDEÓN

Los músicos tienen obsesiones extrañas. He conocido a
un violinista que veía una pequeñísima bailarina que bailaba sobre la caja de su violín mientras él tocaba, y a un
flautista que veía un gnomo cuando soplaba con más inspiración su flauta.

Aquel tocador de acordeón guardaba un misterio en su
alma, y por eso tenía una cosa enlutada en su faz.

Era un muchacho esbelto, de tipo moreno y enérgico, pero que cuando salía de noche del *cabaret* parecía ir envuelto en el macferlán de la melancolía.

¿Qué le pasaba al acordeonista férvido que soplaba alma al tango con su fuelle retumbante y agrio?

No se lo había dicho nunca a nadie ni se lo diría.

Cuando dejaba las luces del *cabaret* que eliminan la sombra y dejan a los cuerpos sin su pesada carga, al pasar por las calles y ser iluminado por los faroles o la luna, veía que su sombra corporal estaba acordeonada y hacía los agudos que hace el acordeón.

Lo que debe a su vida aquel tono trágico, es que tenía ya sombra de acordeón.

LAS ÚLTIMAS ÓRDENES DE NAPOLEÓN

En su última época, Napoleón, en Santa Elena, divagaba y deliraba, escribiendo unas órdenes que resultaban incomprensibles para los que aún se obstinaban en acompañarlo y dormían en la cama del enfermero de las noches finales.

¿A qué ejércitos mandaba atacar y a qué enemigos, con una precisión de general avezado y glorioso?

Los biógrafos suponen que son ya las últimas proclamas del ser ido cuando sólo faltaban unos meses para que se fuese definitivamente.

Hay que oponer a esa opinión la idea de que Napoleón tuvo que ver vivos a esos ejércitos a quienes ordenaba avanzar, porque los ejércitos de su recuerdo o de su suposición eran de seres particularmente muertos, con los morriones caídos sobre los ojos.

Ése es un misterio que sólo ha revelado a medias el que esa casilla de suelos con tierra de Jerusalén ha sido invadida y corroída últimamente por una doble plaga de hormigas que agrietaron la casa de arriba abajo y dejándola perforada por la rendija del rayo.

Napoleón dictaba sus disposiciones imperiales y apremiantes para unos ejércitos de hormigas que se cruzaban por distintos caminos en su alcoba, unas negras y otras rojas.

Él quería que luchasen las negras con las rojas y luciese el sol de las victorias sobre las muertas y las formaciones inconmensurables de las negras que, como los ejércitos victoriosos, no se sabe de dónde han podido sacar tanta retaguardia.

Los gritos vivos de Napoleón «¡Avancen a la derecha! ¡Crucen la llanura en diagonal!», eran gritos verdaderos, mirando las vivientes hileras de hormigas.

EL RELOJ EN LA CASETA

No se desprendía nunca de aquel gran reloj de tictac firme que en los días sensibles no podía quedar en la alcoba, pero al irse a bañar lo tenía que dejar en la caseta porque todavía no se han inventado chalecos de baño, además de que un reloj en el mar se llenaría de esos pececitos plateados e invisibles que no sueñan más que en penetrar en un reloj de ruedecillas submarinas.

Entre el hombre que se baña saltando trampolines de olas y aquel reloj abandonado en la caseta, había una dualidad satisfactoria y fraternal.

Él se sentía representado escondidamente en las arenas playeras, por aquel gran pulgón del tiempo que tenía vida de él, confidencias de su propia alma como si formase parte de ella.

Hasta que un día, en el aturdimiento de una ola, sin que nadie se diese cuenta, el hombre del reloj en la caseta se comenzó a ahogar debajo del agua, pero pensó en su reloj, y su reloj debió pensar en él, y como tenía una vida náufraga y otra a flote, la imantación del tiempo repercutiente le salvó de verdadero milagro.

GRAN FIESTA

Una vez más las muchachas primaverales querían vencer a los cuadros, imitando los de los grandes maestros.

En el improvisado escenario había un gran marco dorado a hoja, con doble fondo de terciopelo negro, y allí aparecía la nueva belleza con su tocado de cuadro.

Se había hecho un gran gasto, y los peinados, las joyas, las sedas imitadas eran de una identidad sorprendente.

Mlle. Jeanne Gonin de Ingres los exaltó.

Madame Jeunne de Richemon de David, con una niña en el regazo, tenía la belleza indecible de una de las más hermosas criaturas que han existido.

La cómica de Watteau tenía hasta la malicia del original.

La princesa de Clouet era más princesa que la muy alhajada princesa del célebre cuadro.

El catálogo del museo vivo parecía quedarse con la inmortalidad del museo muerto; pero había como una sonrisa escondida en los terciopelos para la efemeridad de aquella suplantación.

Sí, eran bellezas jóvenes; pero en cambio eran caducables como ellas solas.

Las familias, los galanes, los enamorados que se cercioraban de su buena elección aplaudían, mientras los chóferes, desde la verja del jardín, atisbaban en grupo de osos cómo resplandecían sus señoritas transformadas en reinas durante unos minutos.

La fiesta iba a acabar cuando Violeta Duc, que había sido reservada como número de apoteosis, apareció convertida en Ester en el marco de oro.

Toda la sala prorrumpió en aplausos, pero pasaban los instantes en que el cuadro retrocedía y se perdía como escapándose a su lienzo, y Violeta no se movía.

Se produjo una atmósfera pesada, como neblinosa de incienso, inmovilizadora como si el trópico se hubiese apoderado de la sala.

La madre de Violeta, impaciente, avanzó hacia la escena y gritó: «¡Violeta! ¡Violeta, sal de ahí!»

Pero Violeta no parpadeaba, y todo el público se movió de sus asientos, en un avance lento y asombrado, hacia las candilejas.

El gran cuadro de Rembrandt, con un fondo oscuro, brillaba bajo el barniz como detrás de un cristal de siglos.

Violeta había preferido la inmortalidad del arte a la frivolidad de la fiesta.

GOLPECITOS CON LOS DEDOS

Acostumbraba dar golpecitos que, los que estaban a su alrededor, no sabían de dónde venían.

Su mujer se inquietaba muchas veces.

—¿Has oído un ruido extraño?

Él sonreía y acaba por confesar que era él.

Se podría decir que era su verdadera especialidad, lo que le caracterizaba en la vida.

Pero esa especialidad le fue a perder en una ocasión.

Fue durante la guerra. El contraespionaje había llegado a la máxima sutilidad auditiva.

Era tan inteligente el servicio secreto, que había el terror de que se pasase de inteligente.

El de los golpecitos nerviosos con los dedos fue llamado a la oficina policial.

Una especie de consejo de guerra le aguardaba hostil.

—Usted transmite por medio del Morse despachos convenidos con el enemigo.

—¿Yo? —preguntó asombrado el hombre pacífico.

—Sí, usted —insistió el presidente—; nuestros contraespías le han oído desde la pared medianera de su casa y han podido anotar el siguiente despacho lanzado con el golpe de sus señales: «Barco cargado pirita saldrá mañana.»

—No es posible... Eso ha sido amañado por sus sabuesos... Es verdad que tengo la costumbre de dar golpecitos con los dedos sobre el brazo de la silla o sobre la tabla de la mesa, pero no puedo creer que hayan tenido congruencia mis golpes hasta formar ese texto... Allanen mi casa para ver si yo tengo aparato de transmisión ni nada que se le parezca.

Pero como todos los in fraganti niegan, así fue sometido a varias pruebas en los laboratorios, y sólo después de largas y penosas dilucidaciones quedó libre el hombre al que la casualidad y los golpecitos de sobremesa habían comprometido.

—Me alegro —decía después su mujer—. Así perderás esa maldita costumbre que puebla de duendes nuestras veladas.

METAMORFOSIS

No era brusco Gazel, pero decía cosas violentas e inesperadas en el idilio silencioso con Esperanza.

Aquella tarde había trabajado mucho y estaba nervioso, deseoso de decir alguna gran frase que cubriese a su mujer asustándola un poco. Gazel, sin levantar la vista de su trabajo, le dijo de pronto:

—¡Te voy a clavar con un alfiler como a una mariposa!

Esperanza no contestó nada, pero cuando Gazel volvió la cabeza vio cómo por la ventana abierta desaparecía una mariposa que se achicaba a lo lejos, mientras se agrandaba la sombra en el fondo de la habitación.

EL INSTRUMENTO CHINO

Con el misterio con que se muestran las cosas extraordinarias en un pueblo chino, le propusieron que escuchase a un músico único que sacaba la música directamente de su fuente invisible.

Cuando se ha hecho un viaje a sitio tan lejano, se consiente en todo y se van a ver hasta las colecciones de piedrecitas.

Hay que aprovechar el viaje y molestarse en ir por callejas que se enredan, y subir a interiores en que los moradores parecen temer que ha llegado la policía y comienzan a abrir los biombos y biombos como encubriendo algo.

La excursión a casa del músico extraño estuvo rodeada de más magia que ninguna otra visita, y después de pasar seis puentes viejos entraron en una casa pintada de negro.

Al cabo de seis pasillos, ya en el fondo del fondo de la casa, estaba sentado frente a la última pared, también pintada de negro, un viejo chino con un instrumento de música descansando sobre sus piernas.

Se veía que toda la cortesía era muda en aquel recinto en que había que respetar la música emanada del silencio:

El guía le dijo al viajero:

—Fíjese que la guzla que tiene en la mano no tiene ninguna cuerda.

El viejo músico chino, que sabía lo que estaba diciendo al viajero, movió su instrumento en el aire, como su abanico el prestidigitador, y después comenzó a sacar armonías desconocidas del espectro de las cuerdas invisibles.

Se veía que en la materialidad de los finos alambres o los finos nervios de los otros instrumentos, siempre la música es un eco conseguido por transmisión de otra música limpia, sin roce alguno, sin ocultación en los zócalos, sin salto desde el más allá al más acá en el columpio de la cuerda.

Por fin había oído la música sin intermediarios, nacida de la fuente del aire, presente y no telegrafiada.

No se arrepentiría nunca de haber hecho aquella excursión que, al parecer superflua y sobrante, le había hecho hallar el pozo musical y su surtidor.

Pero nadie le creería a su vuelta que había oído el instrumento sin cuerdas y sin clavijas.

EL SUPERPOSITOR

Este monstruo es un fotógrafo. Nació para fotógrafo, pero no tenía la memoria fotográfica.

Disparaba su máquina sobre todas las cosas, pero se

olvidaba de las fotografías que había hecho antes, y cuando creía no haber impresionado la placa número ocho, resultaba que la placa número ocho ya había sido impresionada.

Todas las fotografías del superpositor contenían por eso, por lo menos, dos poses diferentes.

Daba dos destinos diferentes a los que fotografiaba, y reunía paisajes, casa y parque zoológicos.

Parecían las pruebas de sus fotografías como radiografías reunidas, extraños confusionismos entre otras cosas, personas y perros.

Llegó en eso a tal perfección, que el superpositor hizo su fortuna con el producto de sus equivocaciones.

Había encontrado, por ser tan recalcitrante y tan empedernido, las fusiones de la época presente, la reunión de una pareja de recién casados en traje de boda con la pareja de unos recién divorciados en traje de huida, la visión de una plaza de toros llena sobre la visión de un *estadium*, etcétera, etc.

LOS GEMELOS DE TEATRO

Cuando volvía del teatro con su esposa, el celoso observaba el pequeño mundo que había quedado entre los dos cristales de sus gemelos de teatro como una preparación anatómica.

Volvía a ver bailarinas y rostros y estudiaba hasta la madrugada, como sentado frente al microscopio, para ver si aparecía repetida una misma fisonomía.

A veces despertaba a su mujer gritándola:

—¿Quién es un señor con aire barbado, porque ha debido tener barba hasta hace muy poco, y al que has mirado varias veces en la noche?

—No lo sé... No lo sé —balbucía ella entre el sueño.

Él comprobaba por medios sutiles su inocencia y no sin cierta intranquilidad metía los gemelos en el féretro del estuche y daba por enterrada una noche de teatro.

EL RATÓN QUE ROÍA EL TIEMPO

Vivía enflaqueciendo en la habitación del reloj de caja que tenía cierto aire de sarcófago.

No daban los médicos con su enfermedad y de nada sirvió que bebiese y bebiese infusiones de todas las hierbas de la farmacopea silvestre.

Un día le regalaron un gato como para que consolase su famelia hética, y aquel gato le salvó porque lo que le tenía flaco y le consumía cada vez más era que un ratón metido en el fondo del reloj de caja le roía el tiempo, y una noche el gato cazó al ratón.

LO QUE PASÓ DESPUÉS

¿Por qué me echaron de aquel hotel tan precipitadamente y en seguida estuvo mi baúl en el coche y me dieron el maletín con la prisa con que se entrega a su papá un niño que puede ser incontinente?

Porque iban a suceder grandes cosas. Porque los hoteles entran en horas de gran farsa y locura y celebran la llegada del falso príncipe y de su séquito y la señora del 42 se trasladó inmediatamente a mi cuarto que correspondía en el reparto a la princesa oriental, esposa del falso príncipe de Sakuntala.

EL CIPRÉS ENAMORADO

Aquel carmen granadino tenía surtidor, cipreses y una luna propia. También tenía una mujer, pero a la mujer no se la veía nunca y sólo se iba esbozando un poco en la luna lejana, como si fuese el bloque de mármol que el escultor de la noche aprovechase para estatuarla.

El marido de la bella tenía celos de los cipreses, ya que no podía tenerlos de nadie más.

En la noche le parecían sombras que vigilaban la casa, que la daban vuelta sigilosos y fisgadores.

Eran necesarios a la arquitectura del jardín, los necesitaba su melancolía para erigirse en pirámide y respirar erguida el azul de la altura ; si no hubiera sido por eso él los hubiera cambiado por rosales.

Pero era persistente, irresistible y contumaz su celosía entramada en las ventanas de la noche.

No deseaba sino disparar su escopeta sobre los troncos de los cipreses, que parecían piernas enjutas de anacoretas.

Un ruiseñor hizo, noche tras noche, tribuna de su canto al ciprés que daba sobre su alcoba, y parecía que se hubiese conjurado como trovador de su mujer. No pudo resistirlo más, y disparó contra el árbol y contra el ruiseñor la venganza de la sombra rondadora de los árboles.

TI-FAN-TO, INVENTOR DEL BIOMBO

Hubo un tiempo —y por cierto no tan lejano como podría creerse— en que no existía el biombo.

El biombo se debe a Ti-Fan-To, potentado chino que un día, al volver a su casa, se encontró a su mujer en brazos de otro chino.

Su mujer, al ser sorprendida, sólo arguyó mostrando la semejanza del chino sustitutivo con el chino legítimo. «¡Se parecía tanto a ti!»

Pero Ti-Fan-To no tomó en cuenta esa razón y cortó la cabeza de la culpable, mientras el infiel huía por la ventana.

Después Ti-Fan-To, para que nadie viese a la gran belleza degollada, tramó el primer biombo que ha existido en el mundo.

¡Qué lástima que no lo hubiese inventado antes! Si lo hubiese inventado antes, no hubiera visto al entrar la escena escabrosa y hubiera dado tiempo a la recomposición de la huéspeda y su huésped.

SEIS BARBAS DE BESUGO

El anfitrión campechano pidió a voz en grito en el comedor del figón solitario:

—¡Eh de la casa! ¡Vino, cordero y un besugo por barba!

Nadie respondía, y entonces el caballero estentóreo volvió a gritar:

—¡Lo dicho! ¡Vino, cordero y un besugo por barba!

Era disparatado pero pintoresco el buen ver de aquel
conjunto de caballeros con aquellas barbas plateadas que
tenían cola de pescado en la punta.

Escamadísimos y corridos se fueron de la posada misteriosa buscando la barbería en que les descañonasen de
sus absurdas barbas de besugo.

EXTRAÑA SALA DE CONCIERTOS

Fue en París, uno de esos días en que, siguiendo a un
papel que se lleva el viento, se llega donde menos se espera.

Era una sala de conciertos que olía a prendas de lana
ahumadas y a paraguas.

En las paredes se leían carteles en que ponía:

Se permite dormir

En la semioscuridad se veían cadáveres de música, todos
los espectadores dormidos.

La música atacaba un «largo» con sobrada lentitud, con
un aire sonambúlico y susurrante.

Era la sala de conciertos ideal y se permitía resucitar
músicos desconocidos.

Aquella tarde tocaban toda la serie de sonatas de Me-
nelik.

EL PAÑUELO DE DESDÉMONA

—Otelo fue excesivo al matar a su mujer porque perdió un pañuelo.

—Está usted en un error... Entonces no había pañuelos de treinta centavos... El pañuelo de Desdémona era un pañuelo importantísimo traído de Damasco probablemente a Venecia... Un pañuelo en aquella época era una joya y era como la bandera privada y personal de la virtud... El moro la había regalado aquel pañuelo como quien regala una enseña, y ella lo llevaba como se llevaban los pañuelos entonces sueltos, sostenido por una punta como divisa de su belleza... Desdémona debió avisar inmediatamente a Otelo que había perdido su pañuelo... ¿Comprende usted ahora que no fue tan baladí el motivo de la venganza del moro?

El pañuelo de Desdémona, como una serpiente blanca y rosa, parecía moverse en el suelo, realmente importante como la confidencia obligada para que no haya infidelidad.

EL BAILE DE LAS POLILLAS

A las moscas varoniles y tabacosas se les ocurrió dar un baile en honor de las polillas.

Las polillas acudieron elegantísimas, vestidas de seda, con trajes de noche con su poco de cola.

No dejaban de ser distinguidas aunque tenían el aire de las doncellas que han robado el traje de la señora para ir a la bailanta.

El baile resultó rutilante, coloreado, inolvidable.

Pero cuando volvieron a sus casas las polillas se encontraron cerrados los armarios, y así fue extirpada toda una generación de polillas.

COMPLEJOS DEL ASCENSOR

Hay varios complejos del ascensor que desequilibran al hombre, el complejo del que sólo tose en los ascensores, el complejo del que tiene tanto miedo a los ascensores que sube la escalera a pie y el complejo del que voy a ocuparme.

El señor S. T. H. no es bien educado en todos los actos de su vida y menos cuando subía en ascensor, porque según declaración propia, el gran placer de su vida era no quitarse el sombrero en el ascensor.

Todos los que subían en el ascensor —promediado de hombres y mujeres— se quitaban el sombrero, pero él se hacía el tonto y hasta a veces comenzaba a silbar.

Cuando iba con su mujer ella le tiraba de la manga, le daba codazos, le hacía señales ostensibles —casi luminosas— para que se quitase el sombrero, pero él no le hacía ningún caso.

¡Cómo gozaba aquel hombre con el sombrero encasquetado mientras los demás —hombres violentos capaces de martirizar a la mujer— las daban esa prueba de galantería angosta pero virtuosa!

EL TRAIDOR DISCÍPULO

Es ya por demás cansador leer novelas en que el discípulo se dedica a la mujer del maestro. ¡Y cómo sufre el desdichado académico o profesor viendo cómo su mejor discípulo ha enamorado a su señora!

¿Pero por qué tiene la vanidad de señor tan buen discípulo el grande hombre?

No la pierde y por eso da lugar a las novelas psicológicas en que pierde toda su aureola gracias a su discípulo.

Por eso el nuevo sabio doctor Stoler grita por los pasillos de su casa como un preso:

—¡Nada de discípulo! ¡No, por Dios, fuera el mejor discípulo!

El novelista indignado ha ido a verle y le ha dicho:

—Querido doctor... no es inadmisible... No podré construir mi mejor novela si usted no tiene un discípulo predilecto... Es necesario, maestro, que usted se sacrifique para que yo tenga un buen conflicto espiritual y sentimental al mismo tiempo.

—¡Fuera! ¡Fuera!, ha gritado el doctor tirando al discípulo por la escalera.

LA HUIDA

Estaban tan herméticamente cerradas las fronteras, tan perseguido el escaparse que no sabía cómo huir y no tenía más pensamiento fijo que el de desaparecer, el de evadirse fuese como fuese.

Sabía que el viejo filósofo había huido en un carro de heno, pero ya hacía tiempo que los carros de heno se los comían antes de que llegasen a la frontera.

Pensó salir de aquel confinamiento metido en nieve, pero el ensayo se heló de tal modo que le creyeron que se había muerto y a él costó mucho tiempo volver a saber que vivía.

¿Vestido de mujer? Se registraba de tal modo a las mujeres que en seguida se hubieran dado cuenta de que él era él.

Noche y día daba vueltas a la cabeza como si fuese el huso de las ideas y no encontraba la manera de huir, la estratagema...

Hasta que un día ya desesperado y sin saber lo que hacía, se enojó, se encogió y se metió en un samovar de alto copete y salió al fin libre y expedito, aunque necesitó varios días para poderse desengurruñir.

GALLINERO DE GATOS

El viejo hidalgo tenía fama de que por su terrible penuria se comía los gatos, cuantos gatos podía cazar y constaba que era un gran persuasivo de morrongos.

Sólo tenía dos gatos amaestrados y favoritos que le servían de reclamo, haciéndoles creer a los otros que había buenos huesos donde se ponían a husmear.

Entonces llegaba el famélico hidalgo y los atrapaba.

Pero otro hidalgo de la vecindad que apreciaba mucho a su gato atigrado y meditabundo, un gato en el que, según él, había encarnado el más metafísico de sus antepasados, al ver que pasaban los días y que no aparecía su micifús, hizo una visita al viejo hidalgo, cazador de mininos.

—Mi ilustre vecino, es el caso que mi gato ha desaparecido y mucho me temo que esté traspapelado entre los de su colección.

—Son tantos los gatos que buscan cobijo en mi casa, que no sé, señor caballero, si estará el suyo entre mis huéspedes.

—¿Y cómo lo podríamos saber? Porque yo deseo llevarme mi gato.

El viejo hidalgo vio que el visitante acariciaba la empuñadura de su espada, y entonces, no queriendo cuestiones, le dijo:

—Pase su excelencia al corral y vea si lo encuentra en el gallinero.

El hidalgo que buscaba su gato pasó al corral y vio una jaula inmensa llena de ganado gatuno y entre los gatos allí almacenados estaba el pobre gato metafísico ya como unos huesos en una bolsa de piel.

EL INCENDIARIO DE LAS GAFAS AHUMADAS

Llegó a aislarse al hombre que incendiaba los edificios.

Siempre sucedía la cosa sin saber quién había podido ser, pero especialistas en tipos y monstruos se dedicaron a comprobar de quién podía surgir la iniciativa.

El que ha prendido fuego alevosamente a algo, tiene después unos picores incoercibles que los especialistas en incendiarios conocen muy bien.

Por dos veces después de los incendios vieron a un ente eulégnico y flacuchón, con gafas ahumadas, que en los alrededores del sitio del incendio se rascaba el picor típico del incendiario.

Atentamente esperaron a que se produjese un nuevo incendio, y entonces quedó probado que era sólo ese caballero de las gafas ahumadas el que lo provocaba, el que tenía la técnica del encendedor, el único responsable de aquellos fuegos en los que parecían haber tomado parte multitudes inocentes.

Detenido el hombre de las gafas ahumadas, no volvió a repetirse aquella forma súbita e inesperada del incendio.

EL ESPEJO MÁGICO

En el espejo apareció algo como un collar de perlas al que se le rompió el hilo y después vimos naufragar un barco, un barco de esos que se meten en una botella.

Después el espejo, como le sucede al mar después de engullirse los barcos, quedó tranquilo, inmóvil, dormidos sus biseles en las playas del marco.

De la impresionante visión sólo quedaba el recuerdo de una de esas botellas, en las que no se sabe cómo se ha podido embotellar esa nave o esa cruz de Calvario y todos los atributos de la pasión y muerte de Nuestro Señor, como si hubiese germinado en el fondo del casco de vidrio una simiente de pasionaria.

La radio parecía haber creado con la tempestad de su concierto clásico esa atmósfera de marina alumbrada de naufragio.

El programa continuaba por cauces más serenos cuando la voz del relator dijo:

—Última hora... Acaba de naufragar a la vista de las costas del Brasil el barco *Orión*... No se saben más detalles...

LA GIOCONDA Y EL LADRÓN

El opulento banquero no había comprado aquella copia admirable de la Gioconda más que para cubrir el hueco que en la pared ocupaba su caja de caudales, estilo barco.

Cuando sus visitantes se paraban ante la eterna sonriente... que no sonríe, el banquero se inquietaba porque sabía todo lo que había detrás del cuadro, escrituras, acciones, joyas... Su fortuna absolutamente personal.

—Es maravillosa esta copia.

—Sí... La compré en Italia y alguien supuso que era una réplica pintada por el mismo Leonardo... Pero difícilmente lo podría ser porque como usted sabe el gran pintor tardó cuatro años en pintar este retrato.

La Gioconda miraba con malicia al banquero porque sabía que entre otras cosas había en aquel escondrijo, del que ella era el disimulado parche, un collar de brillantes cruzados con amatistas que hubiera deseado lucir en su divino descote.

Y lo que son las cosas, aquel cuadro adquirido para cubrir el misterioso hueco salvó de un robo aquellas riquezas.

El ladrón que sabía que detrás de la Gioconda estaba el escondite, se entretuvo ante ella, perdió tiempo, contempló su sonrisa, oyó sus misteriosas palabras.

La Gioconda frente a frente del ladrón en la alta noche le entretuvo con su secular coquetería, le engañó con sus ojos de mirar al sesgo, le distrajo con su belleza de gran espectadora y dio tiempo a que alguien viniese y le hiciese levantar los brazos al ladrón, prometiéndole no hacerle cosquillas si se mantenía así.

CAMBIO DE ABANICOS

Sucedió con la facilidad que sucede siempre.

—Qué bonito abanico.

—El tuvo me gusta más.

—Te lo cambio.

—Venga... Queda hecho el trato.

Las dos amigas, Patrocinio y Julia se abanicaron con sus nuevos abanicos como si probase cada una el aire de la otra.

La cosa pareció sencilla, pero en seguida comenzaron a variar los pensamientos, las emisiones que llegaban para cada una, los soplos del destino, los ahogos cambiados, el enfisema que le correspondía a la débil Julia contagiado a la saludable Patrocinio.

Habían trastrocado sus caminos y en la noche verbenera atravesó el abanico de las grandes rosas, burlando la celosía del varillaje, la flecha que estaba destinada al pecho de la otra, de la risueña Patrocinio.

REVELACIÓN DEL HUMO

Era una tarde fría en que mirar fijamente el aire helado de fuera y ver como única compensación del mundo de la calle el humo que sale por la chimenea de la casa de enfrente.

¿Cómo agradecía aquel humo el cielo cárdeno que por momentos parecía irse a gangrenar de frío!

La mirada también se atemperaba con aquel vaho caliente y azuloso, cuando observé que se perfilaba el humo en forma de vaporosa mujer que arraigada en la chimenea pugnaba por arrancarse a su cepo, cuando otra tufarada más oscura adquiría el nivel de la primera y luchaba con ella como queriéndola estrangular, empeñados los dos fantasmas en una lucha feroz que acabó en el desvanecimiento del drama.

La escena había sido indudable y fue como el penacho de algo que se había consumado en la casa misteriosa y en la habitación en que estaba encendida la chimenea.

Al día siguiente amaneció cerrada la media puerta del portalón.

SACIAR EL DESTINO

Nació con destino de falsificador, pero supo controlarse hasta que encontró la manera de cumplir la fuerza del sino sin comprometerse demasiado.

Falsificaba monedas de oro antiguas para un anticuario de su amistad, y los coleccionistas más avezados no se daban cuenta que el César o la emperatriz del cuño no eran auténticos.

Era maestro en desbozar las imágenes, los blasones, los dioses o los bueyes, troquelados en el oro que, eso sí, siempre era de ley.

Ese pulimento que sólo dan los siglos y el enterramiento profundo a las monedas antiguas, era logrado por él como por la tierra y el tiempo en íntima colaboración.

Sonreía satisfecho cuando mordía la oreja a la moneda —sólo lo justo— y su sonrisa era debida a que pensaba que la justicia del presente no podía encerrarle en sus cárceles como falsificador de moneda de curso legal. Habían muerto los guardacuños de las monedas que él falsificaba hacía siglos.

Pero él no sabía que cuando llegase al Averno, solemnes magistrados etruscos o romanos, sentados en Supremo Tribunal, le aplicarían la ley de sus tiempos y sería cumplida la sentencia antes de pasar a purgar la condena eterna.

LA PLUMA ATÓMICA

El inventor tiene que ponerse al tanto de las necesidades de su época.

Por eso el más patentizador de los patentadores sacó patente de la pluma atómica.

Era una pluma estilográfica de tipo corriente que tenía misterios interiores en los que estaba el intríngulis.

La pluma atómica no podría salvar al que recibiese el impacto central de la bomba atómica, pero era muy conveniente para el que estuviese en el tercer círculo de su influencia.

Lo más difícil de saber después de un ataque atómico es si ha quedado uno radionizado o no.

El que posea una pluma atómica podrá saber si está poseído o no por las radiaciones con sólo escribir su nombre en su libreta de apuntes.

Si la escritura resulta fosforescente es que está contagiado de energía nuclear y si escribe rojo es que está a salvo.

CON LA ARMADURA PUESTA

El aprensivo condestable había mandado que lo enterrasen con la armadura puesta cuidando de que la visera estuviese herméticamente cerrada.

Esperaba que así de guarnecido le respetase la corruptora muerte y los gusanos no pudiesen atravesar el blindaje de su traje metálico.

En aquel sudario de hierro descansó incómodamente muchos años; pero cuando al cabo del tiempo la curiosidad revisó al caballero que tuvo la peregrina idea de ir tan escudado al torneo final, encontraron que la armadura estaba vacía porque los ácaros y necróforos se lo habían comido mejor servido en escudilla.

BRUJERÍA DEL GATO

Por complicidad con la bruja había sido enjaulado el gato.

Los inquisidores sospechaban que podía haber diablo escondido bajo la piel del gato y fue sentenciado a arder en pira aparte, porque podía haber pecado de bestialidad al quemar en la misma hoguera persona humana y animal.

Bien maniatado con cadenas, el gato brujesco produjo un repeluzno de escalofrío entre los asistentes al auto de fe. Había algo de caza luciferiana en la presencia del gato.

La leña de la propiciación comenzó a arder y durante un largo rato se oyeron maullidos infernales, hasta que al final, ya consumida la fogata, se vieron sobre las cenizas dos ascuas que no se apagaban, los dos ojos fosforescentes del gato.

FOTÓGRAFO DE PARQUE

En la recóndita plazoleta de las estatuas entre los arcos formados por tejos recortados, el fotógrafo ambulante de la barba negra operaba con su máquina de manteleta.

No se mostraba insinuamente con los niños —a los que por otra parte atemorizaba— y dejaba pasar las familias que arrastraban prole.

Él sabía esperar sin pedigüeñería hasta que cruzaban la plazoleta como metiéndose en su laberinto las bellas muchachas desorientadas.

Después de cambiar la consigna de «dos tanto y tres tanto más», comenzaba a actuar debajo de la manteleta y se sospechaba que su barba también intervenía en la manipulación.

A continuación revelaba y ultimaba el retrato y la muchacha retratada se iba contemplando la prueba de sí misma, el archivable recuerdo de una tarde.

Llegaba un poco más pálida que de costumbre a su casa y sus familiares extrañados le preguntaban: «¿Te ha pasado algo?», y ella contestaba: «Nada ; que me he hecho esta fotografía.»

Eso se repitió muchas tardes en muchos hogares ; pero un día le tocó pasar por el fenómeno a Leonarda, la belleza premiada, y como todos se estaban mirando en ella notaron que desde el día de la fotografía de jardín se había vuelto inexpresiva y parecía como vacía de su ser interior.

Así se descubrió que aquel fotógrafo se servía como de una ratonera de su vieja máquina fotográfica captando las almas incautas.

De más está decir que fue sentenciado a muchos años de prisión.

¡MÁS CHAMPAÑA!

No se le había visto nunca tan desaforado y tan sediento como aquella noche.

Hombre formal, recio, de vacaciones pocas veces, porque era agricultor de grandes iniciativas en sus fincas próximas y en sus fincas lejanas, tenía asombrados a sus amigos por cómo pedía champaña en el refugio de «El pez que canta».

—Pero ¿qué te pasa? —le preguntaba su lugarteniente.

—Que me arde la garganta. ¡Más champaña!

Las botellas se agrupaban sobre la mesa como en un juego de bochas.

—Ya es bastante... No va más... Vámonos —dijo autoritario su compañero de viaje, y le llevó al hotel.

El portero les entregó un telegrama y al abrirlo leyeron consternados: «Bosque ardiendo. Capataz.»

Entonces comprendieron aquella sed inesperada e inexhaustiva.

¿DÓNDE SE FUE EL PÁJARO?

La bella rubia adoraba a su pájaro hasta el punto de partir de vez en cuando un billete en menudos pedazos y echárselos en la jaula, porque sostenía que «también los pájaros pueden necesitar dinero».

¿Qué había pasado que aquella mañana el jilguero-violín no había silbado el estreno del nuevo día?

El pájaro había desaparecido y, sin embargo, la jaula estaba cerrada y no habían quedado en ella ni esas plumas reveladoras del crimen cometido por el gato.

La consternación, la histeria, la tragedia, no tuvo pausa hasta que la bella rubia cayó en el sueño de después de los velatorios y en el sueño se oyó cantar al pájaro desaparecido.

El absorbente amor por la avecilla le había dado cabida en la umbría interior de los sueños.

INTERIOR DE FLORERÍA

Cuando llegaron a los postres en el ágape íntimo, el poeta dijo lleno de tristeza:

—Hoy he visto desaparecer una mujer en el interior de una florería. Iba siguiéndola cuando la vi entrar en la tienda de flores... Primero la vi gulusmear entre los ramos de glicinas y de almendros, posándose en las rosas y besando los claveles... Pero de pronto ya no la vi más... En las florerías es donde pueden suceder las cosas de magia más absurdas.

EL DOMADOR DE FOCAS

Era un muchacho moreno de pelo muy abrillantado que sólo se dedicaba a domar sus focas, dándoles azotitos en las nalgas negras.

Había conseguido de las focas que tocasen la marimba, que fumasen en pipa, que escribiesen a máquina, que hiciesen punto de *jersey,* que tocasen la guitarra y hasta que cantasen flamenco.

Pero tanto esfuerzo hizo con sus focas, tanto se dedicó a ellas día y noche, que un día apareció arrastrándose por la alfombra convertido en foca.

Fueron a llamar al director del circo y a decirle que había salido una foca de más, pero que no se encontraba al domador por ninguna parte.

El domador de leones hizo de domador de focas aquella noche, y desde entonces el hombre convertido en foca fue la foca prodigio, la foca que dibujaba y que sabía matemáticas, la foca que recibía la primera corvina en el reparto de peces que se hacía entre número y número del largo trabajo.

POR FIN EL CRIMEN PERFECTO

No soñaba más que con el crimen perfecto, un crimen que no se supiese cómo se había realizado ni quién había podido ser su autor.

Había leído todas las novelas en que se planteaba esa posibilidad y había asistido a las películas en que la preparación de un buen crimen vale un millón de dólares.

No deseaba otra cosa que dejar a la humanidad consternada con el crimen sin posibilidad de solución ni pesquisa.

Se reía de Poe, que necesitaba, para fabricar un crimen casi perfecto, un orangután que se ha escapado con la navaja de afeitar de un marinero.

Un día tuvo la idea genial del crimen perfecto. Eligió una casa misteriosa y puso su alcoba en la habitación con ventana de reja y puerta dotada de buena llave y eficaz cerrojo.

Primero sacó dinero del banco y destruyó ese dinero meticulosamente y sin dejar rastro alguno. En la noche del crimen revolvió sus cajones, dejando fuera y a medio asomar ropas y corbatas.

Tiró su cartera vacía en el suelo y sin ser zurdo se infirió con la mano izquierda una fuerte puñalada en la espalda. Después, en decúbito sobre la cama y con un botón en la mano derecha como si en la lucha se lo hubiera arrancado al asesino, se fue desengrando y se murió.

El crimen resultó enrevesado y nadie comprendió jamás por dónde había entrado y salido el asesino, ¡pero también fue gracioso que para cometer el crimen perfecto su autor tuviese que *asesinarse!*

LA ARPISTA EMBRUJADA

En aquella arpa dorada estaba cautiva la arpista.

Se la veía del otro lado de las cuerdas y no podía salir de allí.

Era como un pájaro en una jaula dorada.

—¿Pero a qué se puede deber ese encantamiento?

—A que tocaba mal un arpa tan suntuosa... El día en que logre la melodía que conmueva a los hados me podré libertar.

Se comprendía el castigo por atreverse a manejar tan
magnífica arpa con vanidad cursi.

Una vez tenía que suceder que el arpa metiese en cauti-
verio de sus rejas a la señorita atrevida.

¿Se habrá libertado?

No he vuelto a saber de ella.

EL BUZÓN DE LA PUERTA

Al volver al viejo palacio por las vías del mundo se encontraron con que las ratas habían estado haciendo los
honores de la casa en aquellos años de ausencia.

Todo era viejo en aquel palacio, pero la presencia de
los antepasados no se notaba en nada.

Habían dejado pasar tanto tiempo, que se había oreado
de antepasados. Hasta se habían muerto los fantasmas.

No eran ya de la línea directa del fundador y temían
las sombras.

Estaban contentos de haber encontrado aquello tan vacío de recuerdos, cuando una tarde abrieron el buzón de la
puerta y se encontraron cartas aún no abiertas. Una, cerrada con obleas, en que el capellán pedía su último sueldo ;
otra, de un caballero de Ávila que reclamaba uno de los
títulos del viejo marqués, y otra de un capitán que luchó
en Portugal y reclamaba protección de antiguo patrocinado.

Aquellas cartas redivivas dieron tal actualidad al viejo
palacio, que ante la perspectiva de que pudiesen volver
los antepasados dejaron las antiguas salas y otra vez fueron
las ratas dueñas de la etiqueta del palacio.

EL MÉDICO ESPIRITISTA

En Londres hay un doctor que cura consultando con el
otro mundo.

Parte de la base de que siempre entre los ya muertos
ha habido uno que ha tenido la misma enfermedad que el

enfermo que se presenta en la consulta, y que tiene no sólo la experiencia de por qué murió, sino de cómo no hubiera muerto.

—Donde se sabe medicina —suele decir el doctor Carlton— es en el reino de los enfermos fallecidos.

El doctor Carlton recibe la confidencia del enfermo y después llama a la mesa de tres patas al enfermo gemelo que sabe cómo se hubiera salvado si en vez de darle aquella medicina le hubiesen dado tal otra.

DISCOS NEGROS

Eran tan aficionados a los discos en que cantan o tocan los negros, que toda su colección estaba compuesta por discos de esa clase.

Pero un día, al volver a su casa, se encontró su despacho lleno de negros que se estaban fumando sus cigarros habanos y que alegremente bailaban sus zambras naturales con la música de sus discos negros.

Pero su mayor sorpresa fue ver que uno de los negros estaba trovando a su esposa.

EL PRESTIDIGITADOR DE VISITA

El prestidigitador no pudo estarse quieto en aquel gabinete de la señora Ruidáñez, en el que todos los objetos permitían el ilusionismo.

La señora Ruidáñez le vio con asombro levantarse, y dirigiéndose a la pecera comenzar a sacar peces de colores que volvía a echar al agua, donde se formaron orquídeas de colas movibles y doradas.

Después, en la pecera sólo quedó un pez serenándose en el agua removida, el pez de siempre, su único *ciprinus auratus.*

El prestidigitador sacó una pistola y, apuntando a la jaula dorada del canario, ¡pum!, disparó.

La señora Ruidáñez lanzó un grito desesperado.

En la jaula no había nada, ni el cadáver del pájaro ni plumas.

—¡Caballero! ¿Qué ha hecho usted de mi pájaro?

El prestidigitador la despojó de su chal, cubrió con él la jaula y, ¡zas!, apareció de nuevo el amarillo canario, como despertado a sus volatines más alegres... El prestidigitador tomó el quinqué que había sobre la chimenea, lo lanzó al aire y el quinqué se abrió en cien abanicos...

—¡Ay! —gritó la señora de la casa.

El prestidigitador, entonces, lanzó otra vez a lo alto el quinqué y apareció intacto e iluminado con esa luz interior de fuego fatuo con que encienden los quinqués los prestidigitadores.

—¡Basta! ¡Basta! —volvió a gritar la señora Ruidáñez, llamando al timbre para que viniese el criado.

El ayuda de cámara apareció en la puerta vestido de japonés.

—¿Pero y ese traje? —preguntó la señora.

El criado se miró, sorprendido.

El prestidigitador, realizando su último número, comenzó a sacar papeles de color, cadenetas, pañuelos de seda, banderas, cestillos de plata, y mientras hacía tan fantásticas cosquillas al criado, se despidió de la señora Ruidáñez haciéndola un cumplidísimo saludo.

EL HAMBRE DE LOS «COFFRE-FORT»

Los *coffre-fort* están flacos en casi todo el mundo, pero el del Banco Internacional estaba más flaco que ninguno.

El cajero estaba consternado, y el sigilo que es usual en todo cajero cuando abre la puerta chapada, era en él mayor, entreabriéndola sólo, mirando a todos lados mientras la entornaba.

En el fondo del *coffre-fort* había acciones muertas, láminas laminadas, un billete falso.

El pobre cajero, compadecido, solía echar en el fondo del *coffre-fort* algunas monedas de cobre para alimentar su hambre canina.

Lo que tiene de confesonario de cajeros el *coffre-fort*, había llegado a ser conmovedor, pues había lágrimas y suspiros en la confesión establecida entre penitente y penitenciario.

Incombustible, imperecedero, incorruptible, el *coffre-fort* era siempre el más fuerte en la oficina fracasada.

El cajero llegó a echarle tapones, etiquetas metálicas de las que cubren las botellas, papel de plata del que envuelve los chocolates, medallas de su mujer y de su hija, sonajeros de plata abandonados por sus hijos ya mayores de edad.

Temblaba al abrirla cuando no le llevaba nada, ni un afilalápices, ni una contera de bastón.

Hasta que un día, con las manos vacías y cumpliendo su deber de comprobar el estado de la caja, metió la cabeza y sintió una succión voraz, una resaca interior, un sorbedero helado, y desapareció comido por el *coffre-fort*.

EL ARACNÓLOGO

El entomólogo dedicado a las arañas vivía en un despacho lleno de telas de araña.

La luz de su cuarto de trabajo parecía estar tamizada por demasiados visillos.

El aracnólogo tenía unas pinzas en la mano con las que pillaba las arañas que caían en sus telas sutiles.

Había establecido su laboratorio en aquel rincón de un barrio extraño poblado de cocheras, fábricas paradas, casas de lata, hoteles como sin habitantes y jardines muertos.

Había conseguido cazar así la araña filosófica, la araña humorística, la araña de la muerte, la araña de la fiebre delirante, la araña crisantémica...

Pero un día cayó en la telaraña la araña mujer, que en vez de retorcerse bailó una danza seduciente, la danza sin miedo de la mujer desnuda, y el pobre dejó de diseñar arañas y se casó con ella.

SECRETO DE LAS DENTADURAS POSTIZAS

Llegué a tener gran amistad con un dentista famoso al que iba a visitar cuando la sala de la «dentición» estaba ya clara de clientes, limpia de presencias, todo lo niquelado como si fuese nuevo en un bazar de cirugía.

Un día en que habíamos vivido el sábado como si fuésemos colaboradores dramáticos, me quiso hacer la confidencia suprema y me dijo con cierto sigilo:

—¿Sabes de dónde son todas las dentaduras postizas y con qué dientes se hacen?... Pues con dientes de negro... Como habrás notado, las dentaduras de los negros son admirables y su sonrisa reluce como si fuera de plata... Los exportadores de dientes postizos nos los envían de África... Guárdame el secreto, pero cuando alguien te muestre su dentadura postiza piensa que te sonríe un negro...

EL ARCO VIEJO

No daban importancia al arco viejo que había a la entrada del pueblo. Estorbaba al pasar y había automóviles de línea que tenían que encintar el pueblo, porque no cabían por entre los corvejones del arco.

El alcalde, un día, asesorado por todos los concejales, decidió apear el arco y venderlo a un extraño comisionista de arcos que quería adquirirlo.

—¡Ni que hubiese que enhebrar la villa como un hilo en la aguja! —fue la frase lapidaria y final del alcalde.

Las piedras, numeradas, salieron para un museo de Nueva York, y el pueblo respiró como si le hubieran quitado una coyunda de encima.

Pero se comenzó a notar un fenómeno extraño. La villa parecía haber perdido su nombre, ya nadie la citaba, no tenía autoridad, el puente prometido saltó como una rana a otro río lejano, los automóviles particulares no pasaban por él, como si no hubiese ningún aliciente para ellos al no encararse con el arco.

Un arco que no cerraba nada era el que contenía el alma del pueblo, como su broche, como su puerta, como su señal para la buena suerte.

Y el pueblo sin arco es hoy un villorio irremediable, rasero, tirado por tierra, evaporado en el paisaje.

EL GATO QUE VUELA

Al gato que vuela no lo suelen ver más que los trasnochadores impenitentes, y eso si no pierden de vista la perspectiva de los tejados.

El gato que vuela no es que vuele seguido en el cielo de la madrugada, porque entonces sería un gran murciélago, sino sólo hace una cosa: que salta de alero a alero atravesando la calle, como si volase.

Como los naturalistas nunca andan por las ciudades de cuatro y media a cinco de la madrugada, no han podido anotar ese salto maravilloso —más vuelo que salto— que engatuña el cielo delirante en el entrevero de la noche y el día.

EL ABANICAZO

Ya se sabe que los viejos mandarines se están abanicando aunque haga frío.

Así estaba Hin-Sin cuando en la reunión de los versados un jovencito comenzó, como se dice por allá, «a querer tirar de la coleta a los viejos».

El viejo mandarín, que ya tenía en su casa por derecho propio la bola de cristal que sólo se otorga a los viejos, oía al joven haciendo sonar su abanico como si diese vueltas nerviosas a las hojas de un libro.

El joven, en cualquier otro sitio del mundo, hubiera pasado por discreto, pero en casa del mandarín todas sus palabras resultaban impertinentes, y había por causa de

ellas ruidos de moscas en todos los faroles de papel que
adornaban el patio del mandarinado.

Pero lo grave estaba por suceder, y ocurrió cuando el
joven dijo con aire sentencioso:

—Los viejos son viejos.

El mandarín, encolerizado, no pudo ya más y le dio un
abanicazo leve, pero decisivo, pues ésa es la señal de que
la justicia se encargue del joven y opere en él la pena
ultima.

LA CREMA DE LA RUPTURA

En las tiendas de los perfumistas hay que tener mucho
cuidado con lo que se compra.

Por eso hablan tanto las mujeres de cremas y perfumes,
para intuir la influencia psicológica de unas y de otros.

La pobre Margarita compraba sola sus elementos de
tocador, no consultaba con nadie, creía que le era igual
una crema que otra, y una tarde se dejó encajar la crema
de la ruptura.

La disputa de todos los días con su enamorado se agravó
más aquel día, y el doncel se perdió en las calles del no
volver.

¡La crema de la ruptura, con su olor empalagoso y su
blanco tinte de payaso, fue la culpable!

LA HUELLA REPETIDA EN TODAS LAS PLAYAS

He hecho estudios sobre la huella que se repite en las
playas en los sitios a los que no llega ya el veraneante loco.

Sospecho que es la huella de un Jesús que va dando la
vuelta alrededor de todas las playas, escribiendo una guir-
nalda de sus pies alrededor del mundo.

Es un delirio que tenía que haber sobre la tierra: el
inacabable festón de playa del mundo, el incansable tras-
ponedor de rocas para encontrar playas, el que más viva-
mente impreso ha quedado en las arenas.

EL MIXTIFICADOR

Cuando aparecía en una reunión, se anunciaba su presencia diciendo:

—Es un tipo estrambótico que dice las cosas más inauditas.

Se sentaba solemnemente en su asiento de rincón, sacaba sus gafas, y se las ponía como si fuese a tasar una joya.

—Don Valeriano, ¿en qué se afana ahora?

—Ahora me preocupa el kilómetro redondo... El kilómetro cuadrado es inhumano y monótono... No deja escotadura, ni recorte que sea margen de la cuadriculación... Además, siendo la tierra redonda el kilómetro debe ser redondo.

Pero no acababan ahí las invenciones de don Valeriano.

—También tengo entre manos, ahora, la idea de una inyección a lo rígido... Con esa inyección, la plata, la piedra o las maderas duras se pondrán blandas un momento y se dejarán operar y trabajar... Después de moldeadas volverán a su rigidez...

Era asombroso y no se podía decir que fuese premeditado, pues cualquier cuestión de actualidad le hacía suponer las cosas más absurdas.

—¿Ha visto usted la huelga portuaria?

—Sí... ¿Pero no saben ustedes cómo se acabaría?... En toda huelga de obreros de puerto basta con gritar: «¡Ostras verdes! ¡Ostras verdes!», para que se disuelvan las masas...

EL LADRÓN ERUDITO

El ladrón se había dado cuenta de que el dinero estaba disimulado en algún libro de la biblioteca. ¡Pero había tantos!

Comenzó por los más altos y le fue ganando la apetencia de leer, la ansiedad de adivinar.

La casa era una casa de campo y estaba abandonada. Tenía tiempo para sus pesquisas.

Se dentró en las páginas escritas por los que prefieren escribir a robar y gastar en eso sus largas noches.

Él notaba que la realidad resultaba así más robada que por él mismo.

Hubo un momento en que sin haber encontrado los billetes estaba ya en los libros de las estanterías bajas, y entonces se sintió tan preparado que hizo unas oposiciones.

VISITADOR DE MUSEOS ANATÓMICOS

Cuando llegaba a la ciudad la barraca de las monstruosidades y las dolamas de la vida, reconstruidas en cera, aquel joven largo con gafas que empequeñecían sus ojos hasta convertirlos en los de los zorros de peletería, se pasaba los días observando elefantismos y lacras.

Hasta que un día se le contagió al pobre —sólo de mirar— una de las más terribles enfermedades de las vitrinas, la «costatitis melica».

EL SASTRE DESAHUCIADOR

Iba a morirse.

No se le notaba. Hacía equilibrios con su paso y miraba las tiendas. ¡Hasta las sombrererías!

Él sabía que iba a morirse, pero quería hacer una prueba decisiva. ¿Ir a un médico? No. Los médicos no saben nunca cuándo va a morirse un enfermo, y más si lo reciben de sopetón.

En una visita repentina sólo dicen al enfermo:

«¡Vamos! No sea usted aprensivo... De esto no se muere usted.» El enfermo se muere bajando la escalera.

Pensó en su sastre. Los sastres saben cuándo un hombre está desahuciado y no le adelantan la última tela.

Tomó un taxi.

El sastre le recibió sin acabarle de mirar, porque los sastres no miran hasta que no saben qué va a ser.

—Vengo a hacerme un traje de tela inglesa —dijo.

—¿De tela inglesa? —le preguntó el sastre mirándole fijamente.

—Sí, de tela inglesa —repitió él con energía.

El sastre le volvió a mirar, esta vez con más ensañamiento, haciendo todos sus diagnósticos —sangre, jugo pancreático, esputos, heces, rayos equis—, y por fin le dijo:

—Pues no va poder ser... Estoy muy mal... Me tendría usted que pagar la tela por adelantado y la mitad de la hechura.

Él vio todo lo que aquello significaba, comprendió que era verdad lo que había presentido.

—Bien —dijo sin perder la serenidad—. Ya vendré el día que tenga el dinero... Adiós, hasta uno de estos días.

Salió a la calle. Sentía que llevaba en el bolsillo el certificado de defunción que sólo dan los sastres, seguro, evidente, inmodificable.

Pudo llegar a su casa.

Al poco rato se moría.

LA MANO

El doctor Alejo murió asesinado. Indudablemente murió estrangulado.

Nadie había entrado en la casa, indudablemente nadie, y aunque el doctor dormía con el balcón abierto, por higiene, era tan alto su piso que no era de suponer que por allí hubiese entrado el asesino.

La policía no encontraba la pista de aquel crimen, y ya iba a abandonar el asunto, cuando la esposa y la criada del muerto acudieron despavoridas a la Jefatura. Saltando de lo alto de un armario había caído sobre la mesa, las había «mirado», las había «visto», y después había huido por la habitación, una mano solitaria y viva como una araña. Allí la habían dejado encerrada con llave en el cuarto.

Llena de terror, acudió la policía y el juez. Era su deber. Trabajo les costó cazar la mano, pero la cazaron y todos le agarraron un dedo, porque era vigorosa como si en ella radicase junta toda la fuerza de un hombre fuerte.

¿Qué hacer con ella? ¿Qué luz iba a arrojar sobre el suceso? ¿Cómo sentenciarla? ¿De quién era aquella mano?

Después de una larga pausa, al juez se le ocurrió darle la pluma para que declarase por escrito. La mano entonces escribió: «Soy la mano de Ramiro Ruiz, asesinado vilmente por el doctor en el hospital y destrozado con ensañamiento en la sala de disección. He hecho justicia.»

EL TIRO EN EL RETRATO

—¡Un agujero en mi retrato!

—Sí, querida —dijo el esposo—. Es el primer aviso... Ayer ensayé mi pistola sobre tu chal azul... No me gustan los coqueteos de terraza.

La malherida en el retrato reaccionó castigadora:

—¿Y si fuese mejor morir que no dejar de vivir el amor que nace en las terrazas?

—Tú verás —dijo él.

Pero ya ella no volvió a buscar el ángulo confidente de las terrazas.

QUIROMÁNTICA DE LOS MUERTOS

Nur, la quiromántica, entraba en los velatorios y miraba las manos de los difuntos para ver si se había cumplido la ley de la muerte.

Generalmente la línea de la vida estaba quebrada en el promedio de la edad del finado. Su estadística no fallaba y anotaba en el libro de las comprobaciones la fecha, el caso, dibujando en él las líneas de la M mayúscula y sinuosa que el Aduanero Supremo escribió en la mano izquierda del turista el día en que entró en la vida.

Sólo una vez había fallado su ciencia de las líneas y las fechas, y entonces descubrió uno de esos crímenes horrendos que no están escritos ni en el destino, un crimen alevoso y sin sospecha posible en que la madre había matado a la hija para salvarla del amor.

LA SOMBRILLA BLANCA

El rico solterón coleccionista de cuadros estaba dispuesto a casarse con la joven modesta que le hablaba siempre de su traje único y que se le aparecía con una sombrilla blanca.

Aquel hombre que se había defendido siempre de la mujer, incurría en aquella muchachita de ojos bajos y cándido escuchar, sólo por su sombrilla blanca.

La madre, que como madre que va a subir de clase había aumentado en sagacidad y cautela, le gritaba desde el fondo de la casa cuando la veía dejar el barrio para irse al centro:

—¡Mercedes, lleva la sombrilla! ¡Que no se te olvide la sombrilla!

Y el opulento solterón de bigote retorcido se casó con ella porque era la muchacha de la sombrilla blanca.

SORPRESA DEL DIRECTOR DEL ZOOLÓGICO

No me refiero a aquella sorpresa que tanto le afectó cuando aquella noche estando cenando se presentó el león del Cabo en la puerta del comedor, y con gran serenidad y después de pedir a sus hijos que se estuviesen quietos, disparó sobre él y lo mató en el acto.

La sorpresa mayor del director del zoo fue la que le dieron aquella mañana en que en vez de notificarle las vulgares y consabidas historias «que si el chimpancé había estrangulado a la chimpanzá» o «el cocodrilo había tenido cría de carteras de señora», le comunicaron que había nacido un hombrecillo extraño y con barba en la jaula del mandril de cara azul.

Fue inmediatamente a ver a aquel ser extraño, y cuando lo vio gritó:

—¡Eureka! ¡El gnomo!

Y en seguida habilitó una jaula para él y redactó su cartela en esta forma:

«GNOMUS ABISINIUS

Por primera vez el
gnomo de los cuentos de niños.»

CARMEN MARADONA

Nos servirá para tomar toda clase de precauciones en la vida el ejemplo de Carmen Maradona, que mató a nuestro mejor amigo, Pedro Alderete.

Carmen Maradona es —porque aún vive— una mujer atractiva, de pelo dulce, es decir, de ese que enmarca la figura, dándola una dulzura amable y providente. Todo en ella era despierto, feliz, propiciatorio.

En la consulta íntima que me hizo Pedro no pude ponerle ningún reparo y hube de encontrar admirable aquella unión con la viuda joven, hacendosa, que ponía manteles nuevos y albísimos a la vida de todos los días.

Todos lo repetían, llenándose del optimismo del nombre de la opulenta mujer.

—¡Se casa con Carmen Maradona! ¡Gran mujer se lleva!

Yo, como amigo íntimo de Pedro, actuaba como detective en las visitas a aquella casa, en que todos los muebles eran de roble y había un capital de *stores,* cortinas y copas de cristal; no veía por dónde pudiese fallar aquel matrimonio.

Así llegó la hora conyugal, y a los pocos días de intimidad Pedro me dijo muy desconsolado:

—Carmen es encantadora, pero tiene la manía de la ventilación...

Yo conocía, porque mi hermana me sometió a esa experimentación, esa pavorosa manía, y me había propuesto desde adolescente no incurrir en mujer que fuese loca abridora de ventanas, pues eso es suficiente para atravesar de corrientes una vida, manteniéndola destemplada siempre y aterida y pasmada de frío en otoños, inviernos y primaveras.

Sospechando de su pasado, pregunté a las que todo lo cuentan:

—¿De qué murió el primer marido de Carmen Maradona?

—De pulmonía —me dijeron.

Y de pulmonía murió también el pobre Pedro ese día de otoño en que los cristales se ponen melancólicos de frío.

EL ASCENSOR DEL GRAN ALMACÉN

Muchas sospechas hemos tenido sobre los ascensores de los grandes almacenes.

Hemos sospechado que ese domador que ocupa el cargo de «ascensionista» conoce los últimos pisos, a los que no suben sino las iniciadas, las que le entregan una contraseña especial.

¿Habrá esos salones de delicia en cuya antesala hay que bañarse con jabón ideal?

Nunca he sorprendido ese momento, pero no hace mucho presencié una escena divertida.

Un caballero con apariencia de embriagado de escaleras y cosas fue interrogado por el director del almacén:

—¿Qué busca? ¿Qué desea?

—¿Yo? —preguntó a su vez el hombre mareado de ascensiones inútiles, como si pudiera ser a otro a quien habían hecho pregunta tan directa.

—Sí, usted —insistió el director.

—Pues yo, una cabeza de repuesto —dijo el caballero, pálido de jaqueca.

—Decimoquinto piso... Departamento de cráneos nuevos, sección de cementerios del porvenir.

LA MUJER VESTIDA DE MORADO

Parecía una Concepción siempre vestida de morado, y al mismo tiempo eso le daba un aire de imposible.

Estaba en el año de no poder acceder al amor, porque se debía al propio orgullo de su belleza, perfecta, marfileña, con una gran frente abombada y destellante.

El enamorado preguntó a la amiga que da los consejos difíciles:

—¿Cómo podría yo enamorar a una muchacha que va vestida de morado?

—Ponte una corbata amarilla —le dijo la que todo lo sabe.

Inútil. Ella estaba en los meses pletóricos en que a la mujer no la tientan ni los más fantásticos viajes.

Su terciopelo morado la hacía resaltar como nada y hacía más estremecedora su belleza ese fondo de gato que tiene el terciopelo.

Pero de la noche a la mañana desapareció.

La robó sin más trámites el ladrón de joyas, pues al verla en el estuche de terciopelo morado —estuche de joyería— no tuvo duda y obró fatalmente con la sagacidad y perentoriedad con que obra el ladrón'.

LA BARCA QUE VA SOLA

Hay una tragedia del mar más desoladora que ninguna.

La barca estaba atracada en el reposo del domingo, en que los barcos se aburren más que los hombres. Los pescadores reían y tomaban el sol sentados en los espartales.

De pronto, la barca se ha soltado, y un golpe de mar, del mar exaltado por el turbión subitáneo, se la ha llevado. Todos se han lanzado en su socorro, y entre todas las voces, una ha clamado más alto:

—¡Mi *Elena*!... ¡Mi *Elena*!

La barca se ha alejado y ha comenzado a correr mar adentro, como una canoa automóvil o como las falúas de los salvajes.

—¡Mi *Elena!*... ¡Mi *Elena!*... —gritaba el dueño de la barca *Elena*.

Un misterio superior ha robado la barca. Nada que más emoción tenga que ese robo por un ser furtivo que se ha embarcado en ella. Nunca que se haya visto más a los otros hombres invisibles que viven junto a los hombres visibles.

Y *Elena* se ha perdido para estrellarse contra las rocas, más grave su pérdida para el pobre pescador que si hubiese él muerto con ella. ¡Tragedia muda, vacía, pero de una impresión atroz!...

SALÓN LITERARIO

Siempre había deseado tener un salón literario y por eso en cuanto recibió la cuantiosa herencia de su tío, decidió abrir esa sucursal del Olimpo con licores y *sandwichs*.

El estafador se prestó a asesorarle y lo primero de que le convenció es de que para tener un salón literario había que gastar un dinero previo en resucitar grandes hombres.

Le hizo un presupuesto.

Por resucitar a Balzac, 20.000; por resucitar a Víctor Hugo, 18.200; por resucitar a Anatole France, 12.050; por resucitar a Blasco Ibáñez, 5.200; por resucitar a Carrere, que no ha muerto, 1.150. Total, 56.600.

Se hicieron estos gastos preliminares, se preparó el salón con espejos dorados y arañas y el día de la recepción fueron llegando —preparados por el estafador— sensacionales y falsos hombres de letras, apócrifos senadores, supuestos notarios.

Total, que a las dos de la madrugada de la primera sesión de salón literario los falaces resucitados, y los vivos de siempre, habían consumido el salón literario, sus bebidas, sus consolas, sus espejos, sus relojes, sus candelabros, sus álbumes y hasta sus ceniceros.

CLUB DE LOS ADVERSARIOS DE LOS HOMBRES FELICES

Se ha sabido de la existencia de un club de hombres perversos que se dedicaban a perseguir a los hombres felices.

Cuando se notificaba el encuentro de algún hombre que se sentía feliz, buscaban el medio de hacerle desgraciado, arruinándole si era rico, enriqueciéndole si era pobre, seduciendo a su esposa, neurastenizándole, etc.

Los desgraciados que componían ese club han sido detenidos y serán sentenciados como asesinos y ladrones.

La asociación criminal fue descubierta porque hace días se detuvo a un peripuesto botones que tenía la misión de llevar a las damas de los hombres felices falsas cartas de amor y ramos de flores con tarjetas de enamorados supuestos.

CONFUSIÓN DE PASAPORTES

El tren llevaba una hora parado en la frontera.

Todos esperaban su pasaporte improntado con el sello morado de la policía.

La máquina pitaba impaciente, pues aquellos minutos repercutían en la estación de término.

Por fin avanzó el agente, y comenzó a dar los pasaportes por las ventanillas, diciendo apenas el «¿usted es éste?» que nos desconcierta hasta en los momentos normales, llegando a no reconocernos nosotros mismos en esas fotografías de los kilométricos de la policía.

En la urgencia, todos los pasaportes fueron trabucados, y cuando partió el tren todos éramos otros.

Nunca he sentido molestia y confusión como aquélla, en un tren que por causa de aquel trastrueque, pareció convertirse en un tren malagorero y propicio a hundirse en ese puente que tiene preparada su construcción de naipes de acero para derrumbarla a la menor indicación o involucro de la suerte.

Todos surcábamos los pasillos buscando a los otros «nosotros», y los hombres gordos obstaculizaban largo rato el tránsito con la cuña insubsanable de sus barrigas.

¿No era de un ladrón de trenes el retrato de aquel tunecino que me había tocado en suerte? ¿Dónde estaba el tal? ¿A que ya estaba cometiendo robos con mi pasaporte?

Como si todos, frenéticos de hambre, buscásemos por lado contrario el coche restaurante, pasábamos de vagón a vagón buscando suplantadores, siéndolo también nosotros mismos.

EL EXTRAÑO PANADERO

En París, en el principio de la mañana, cuando los panaderos pasan con sus cestas de pan a la cabeza, cruza entre ellos un extraño panadero, cuya cesta también humea y huele a vida fresca y tiene el tipo de las cestas del pan reciente y temprano. ¿Pero sabéis qué cesta es la que lleva a la cabeza tan temprano ese renegrido panadero? Pues la cesta de la guillotina, con los que acaban de ser descabezados y que va a enterrar al cementerio de los espurios.

AQUELLA MUERTA

Aquella muerta me dijo:

—¿No me conoces?... Pues me debías conocer... Has besado mi pelo en la trenza postiza de la otra.

LOS DUEÑOS DE LA TIENDA DE OBJETOS DE GOMA

Los dueños de la tienda de objetos de goma —padre, madre y cuatro hijos, todos muy pequeños— tenían un color extraño y maneras flojas y como deshuesadas.

Herederos de dos o tres generaciones de vendedores de objetos de goma, se veía que ya habían tomado la calidad y el color gris claro de los muñecos de goma.

Todo en ellos tenía materialidad de objetos de goma, medianidad de goma, sufrencia de goma, tristeza de goma blanca.

Aire de antigua habitación de baño había en aquella tienda, en que todos vivían oliendo a impermeable; pero los domingos se oreaban en el campo y los niños disfrutaban mucho tirándose por los terraplenes de las afueras y rebotando en sus carreras.

Pero cuando la familia de objetos de goma tuvo su milagro fue aquel día de fiesta en que un gran autobús les atropelló a todos y a ninguno le sucedió nada, pasando las ruedas sobre los seis sin lograr más que oprimirles un momento, rebotando el coche como si hubiese saltado sobre neumáticos nuevos.

DON CHRISTIAN WALD

Como era su costumbre cuando llegaba a una ciudad nueva, don Christian Wald hizo publicar en todos los periódicos su salutación y ofrecimiento:

El doctor en violines Don Christian Wald
recibe visitas y avisos para la adquisición
de instrumentos antiguos

El experto en violines esperó en vano las horas muertas en su habitación de hotel, pero no se presentaba ningún comprador. Las tiendas de préstamos están llenas de violines antiguos.

Sólo a la tercera tarde de estar esperando se presentó un pobre desastrado que pidió ver al doctor Christian con angustiosa urgencia:

—Yo quiero el mejor violín que tenga, no me importa el precio...

El pobre comenzó a probar todos los niños muertos, resucitándolos de sus féretros, y los volvía a acostar como si su jipío no fuese el del niño que buscaba.

Por fin encontró uno en el que repitió una melodía arras-
trada, rasposa, con los pies chirriantes sobre veredas tristes.

—Éste —dijo con decisión, y sacó la cartera atada con
cintas negras.

Pagó cuanto el doctor Christian le exigió y salió con su
violín inmensamente caro, hacia las esquinas de la mendi-
cidad, a hacer más sentimental la luz de los faroles, a com-
plicar la ciudad con natalicios de Navidad y criaturas del
tierno arte, abandonadas en el quicio de los portales.

Aquel violín hacía quitarse los guantes a la caridad y es-
carbarse la entraña de los bolsillos.

EL ESTATUADO

«Cabeza de Sabio» había asistido a la inauguración de su
estatua, sin haber tenido que morir por eso.

Fue una fiesta inolvidable que se le aparecía muchos días
y le hacía entornar la persiana y celosía de las arrugas de
su frente, como ante una aparición insólita de paraliza-
do en piedra.

Sus insomnios le sobresaltaban de pronto, incorporán-
dose sobre las sábanas como si viese en lontananza una serpiente erigida en señuelo de los horizontes. Después aparecía su estatua.

«Cabeza de Sabio» tenía temblores de frío, agarrado a
su piedra, y sentía que las hojas secas del parque en que
estaba estatuizado le daban bofetones de otoño, entriste-
ciéndole con sus injurias constantes.

«Cabeza de Sabio» sentía reuma de fuente pública y pe-
dradas de agua fría, sintiéndose mausoleado y lejano en
cementerio de vivos.

Así llegó un día en que «Cabeza de Sabio» salió de noche
armado de un martillo de plomo y de hierro y rompió su
propia estatua, la estatua que tenía la culpa de sus neu-
ralgias pertinaces, la estatua de la suplantación y el escalofrío.

LAS GAFAS DEL ABUELO

Los dos huérfanos, Valentín y Leonardo, aun con el luto recién estrenado, se disputaron las gafas del abuelo muerto, después de comprobar que estaban llenas de experiencia y que con ellas se transparentaba la ficción de la vida.

—¿Cómo quieres que te ceda estas gafas si soy yo el mayor y además el que se ha enterado primero de lo que se veía con ellas? —decía Valentín.

—El que tú hubieras encontrado un tesoro en el cajón de la mesa del despacho del abuelo no te hubiera dado derecho a quedarte con él.

—Peró unas gafas de cristales redondos montados sobre acero no eran nada tentador, y quien se guarda una prenda modesta en recuerdo cariñoso del muerto, bien merece el hallazgo de una fortuna y que sea para él solo.

Leonardo se quedó pensativo, y después de un rato de pensar en el asunto, propuso a su hermano:

—¿Y si dividiésemos las gafas en dos monóculos? Veríamos lo mismo y los dos nos valdríamos de la enorme experiencia guardada en esos cristales.

Desde entonces usan impertinentes monóculos los hermanos Valentín y Leonardo.

EL CRÁNEO DE SHAKESPEARE

«Representándose *Hamlet* en el teatro primitivo del pueblecito de Lewton, el actor que hacía de Hamlet, al llegar a la escena del cementerio y encararse con el cráneo que le habían prestado para la representación, se dio cuenta de que había una inscripción en lo eburnado del hueso y en ella ponía: "Perteneció a William Shakespeare"»...

Impresionado el actor, comunicó a los espectadores su sorpresa, y dedicó como encomio a Shakespeare las palabras que en esa escena se dedican al bufón Yorick.

El cráneo que se supone de Shakespeare ha sido remitido al Museo Británico.

LOS TRAPEROS DESCONOCIDOS

Lo que más abunda en la pereza del mundo son los traperos, traperos desconocidos que pasan encogiéndose por aceras de sombra y de invisibilidad.

Entre estos traperos figura el que recoge miradas caídas, suspiros perdidos —que vende después al Viento—; pero el más sumurmujero, el que a la chita callando saca más en su trotar por los caminos, el que sobrevivirá a los demás traperos —los seres más longevos—, es el que recoge las caídas campanadas de reloj, los menudos tintines y los ferrados tontones.

EL TURISTA EXCEPCIONAL

Ser un turista cualquiera no vale la pena, pues todo lo que descubre está como estaba en los libros de estampas.

El turista excepcional sorprendió las cosas en su momento inesperado.

En la celosía del palacio del Arzobispo veía una virreina asomada, a la torre inclinada de Pisa la veía en ese momento del amanecer en que se despereza y se pone derecha unos instantes y a la torre Eiffel la había sorprendido en ese momento en que como una jirafa que baja la cabeza se pone a comer hierba en el Campo de Marte.

En Pompeya había sorprendido al poeta de la casa del poeta dramático, escribiendo una tragedia, y al oráculo de Delfos le había oído hablar solo como a un *speaker*... frente a un micrófono.

Todas esas cosas extraordinarias le sucedían al turista excepcional cuando iba solo y por eso nadie le creía sus cuentos de viaje.

Él, sin embargo, no podía por menos de contar sus hallazgos fantásticos:

—Una vez en Londres sorprendí al reloj de Westminster cuando se bebe un vaso de *whisky* pasada la medianoche.

—Una vez en el Japón vi cómo los bambúes se paseaban como ibis verdes y pescaban ranas por su cuenta...

Todos sonreían al oir los cuentos del turista excepcional, pero a él le quedaba la satisfacción íntima de saber que todo aquello que contaba era cierto y seguía haciendo sus viajes de explorador de lo inaudito.

MISTERIOS

A mí me toca aclarar misterios absurdos, pero verídicos.

Por ejemplo, hay misterio que se verifica en algunas casas cuando la señora dice a la doncella:

—Trae la langosta a la americana.

La verdad es que la langosta no acababa de ser langosta ni el guiso era a la americana, pero gracias a la autoritaria pronunciación con que ha dicho sus palabras la dueña de casa, se celebra en el pasillo la transformación del plato, y cuando llega al comedor y se sirve, todos dicen:

—¡Qué bien está esta langosta a la americana!

Frente al llamado ex especial es un ex culinario que se tiene o no se tiene.

Yo he conocido a una señora que decía:

—Traed el *ragoût* —y aparecía un vulgar guiso de patatas y carne, que llegaba a ser *ragoût* por digestión o pastenogeneris.

Claro que conocí a otra señora que me dio la mayor de las sorpresas el día que estrenó un gong y al dar los primeros zambombazos en el platillo comenzaron a aparecer esclavos y esclavas de la Numidia.

CARETA PARA MORIR

De todos sus viajes había conseguido como flor de pesquisas y curiosidades una careta ni china ni del carnaval de la calle, que él decía que era «la careta para decir ¡adiós!»

—Cuando vaya a morirme —decía a sus amigos aquel solterón con cara de *pierrot*—, me pondré esta careta y no se verá mi agonía... Hay que saber ocultarse para morir... A los egipcios de categoría les ponían una careta de oro después de muertos, pero yo me la pondré antes...

Era una careta ni muy grotesca ni muy inexpresiva, con algo de careta medical para acercarse a las luces vívidas de la ciencia.

Después de saber el destino de aquella careta se la miraba con cierto temor, como si sus ojos negros viesen el porvenir, como si escuchase por su cuenta lo que se iba diciendo.

No era la carátula de la tragedia ni la de la comedia, pero en su extraña serenidad tenía reunidas las dos carátulas.

Un viejo actor jubilado y momificado se escondía en ella y se adelantaba a las candilejas queriendo decir su palabra.

EL CAFÉ DE LOS SOCHANTRES

Sin saber por qué, en aquel café coincidían todos los hombres con voz de sochantre.

Daba miedo oir los vozarrones de mesa a mesa, y en los rincones había murmullos de grandes moscardones de voz, moscardones que levantaban un pavoroso olor a colillas.

Se veía que todos aquellos tertulianos estaban orgullosos de sus ecos de cañón:

—¡Don Práxedes, vaya un día el de hoy!

—Sí —contestaba don Práxedes, luciendo su voz de subterráneo—, y las nubes corrían como la rueda del afilador cuando afila los cuchillos. ¡Cómo afilaban el frío!

Había muchos don Pedro.

—¡Don Pedro, buenas tardes!

—¡Buenas tardes, don Pedro!

—¡Adiós, don Pedro!

—¡Hola, don Pedro!

—¿Cómo le va, don Pedro?

Todos tenían a gala comprobarse la voz, y los camareros eran llamados sonoramente por sus nombres.

El dueño era también sochantroso, y había procurado que todos los camareros tuviesen voces graves y bien impostadas.

Pero una noche se armó en el café la de Dios es Cristo. ¡Había entrado el pollo de la voz atiplada!

Todos los don Pedro se pusieron de pie y entre vociferaciones mataron a servilletazos a Silvano el de la voz flautesca.

EL DÉBIL JUGADOR DE DADOS

Siempre le salían los unos y las blancas, despachase como despachase el cubilete.

Era un hombre débil, pusilánime, acobardado, de ojos chinches.

Él, sin embargo, era dócil a los llamamientos de los amigos, y siempre que le invitaban a jugar a los dados cogía el vaso de su mala suerte, y lo vertía con un gesto de indecible dolor de pies.

El vaso de cazador que es el cubilete de los dados, devolvía a la mesa las cuatro muelas de la mala suerte y volvían a salir solitarios lunares negros y blancos terrones sin nada.

La parvedad de su destino no se desmintió jamás.

LOS TAPICES CONTAGIOSOS

El palacio del emperador tenía los mejores tapices del mundo, tejidos con la vida grisácea hasta el delirio de los grandes artistas del tapiz.

Rubios artistas flamencos habían ido tejiendo aquellos tapices, libertándose en ellos de su vida, perdiéndose en sus hilos.

Esa cosa de cenizas de vidas que tienen los tapices, estaba más esclavizada en los tapices del emperador. Toda una batalla de generaciones derruidas se veía en ellos, y el polvo de los muertos daba el gran tono pardo descolorido a sus escenas.

Cada tapiz era una empalizada de cadáveres y no tenía ninguna importancia que representase escenas de amor, porque su fondo era la mortandad gris.

Timbres que comunicaban lo sucedido con los cementerios, hilos que eran de llamada a lo remoto, temblores de telón sobre los cipreses, eran las sospechas que se articulaban frente a los suntuosos tapices que pesaban fanegas de tierra, tanto que alguno, de inmenso que era, parecía propiedad inmueble, y en él se ponía en pie la llamada del pasado.

Para los grandes acontecimientos el emperador prestaba aquellos tapices en que pesaba elefantiásicamente la piel curtida del pasado, el último residuo del hilo ariádnico de otros días.

En los rumores de las catedrales, en el antepecho de los paraninfos, en la asamblea de los próceres, en la exposición del artista malparidor de grandes y bochornosas esculturas en que se aprendía a abominar de la figura humana, en toda solemnidad o apertura aparecían los tapices hechos con nervios y esperanzas religiosas del pasado, aparentes *acuariunis* de últimos suspiros, verdaderas momias de la telambre con trenzado de luces y horas innumerables y remotas.

¡Qué llenos de miércoles de ceniza estaban aquellos dinosáuricos paramentos!

En ellos se sonaba la nariz Cronos, y eran sus viejos pañuelos colgados al sequen como pañuelos de catarroso.

Todos los sucesos del imperio sucedían como a vista de pájaro bajo aquellos inmensos tapices cuyos tipos de tamaño sobrenatural imponían vasallaje a lo que sucedía bajo su exhibición.

Cuando el acto era un poco suspecto, por más que sus organizadores hubieran incurrido en la cortesanía de pedir los tapices al emperador, éste enviaba el tapiz de Hércules en que éste levantaba simbólicamente la clava sobre los circunstantes, y aplastaba el acto. De nada servían los discursos tendenciosos frente a aquel Hércules apabullante.

Inmensos lienzos de Verónica de lo que sucedió, lo que de más grave tenían es que habiendo estado aposentados durante siglos en los salones de la dinastía tuberculosa, estaban saturados de la más aguda tuberculosis.

Esto nadie lo sospechaba, pero aquellos tapices esponjosos y absorbentes que habían estado en las alcobas y gabinetes de todos los Máximos (desde el I al XXI), iban contangiando la tuberculosis a la corte.

Ejercían el contagio como preeminencia principal y soplaban microbios sobre todos los reunidos y sobre los públicos que concurrían a asambleas y exposiciones.

El país se tuberculizaba por causa de aquellos grandes telones tristes que ponían decoración macabra a toda apertura solemne.

EL PALCO VACÍO

A principio de temporada en el teatro de la Gran Comedia murió de marmoridad la blanca Tula Ruibar, la muchacha en la que más relucían las medias de seda.

El palco que tenían abonado sus padres, como quienes abonan un estuche de terciopelo, quedó como estuche vacío, cuya joya huyó al Monte de la Última Piedad.

Entristecía al teatro aquel palco-platea vacío, misterioso, como un catafalco en el centro de su revestimiento de terciopelo.

Llegó a tener más importancia el palco vacío y nostálgico que la obra representada. Todos miraban al palco de la muerta más que al palco escénico, y se oían en la sala suspiros que no eran dedicados a la comedia, sino al palco dramático.

¡El drama del palco-platea número 4, sí que era un drama que sin autor se sobreponía al del escenario! La escena parecía despoblada y los mismos cómicos dirigían miradas de pánico, de pena y de desolación al palco convertido en lecho fúnebre, sin dejar de tener una cosa de guiñol de lo invisible.

Tanto llegó a influir el palco vacío y trágico en la temporada cómica del gran teatro de la Comedia, que tuvo que ser despedida la compañía y cerrarse el teatro hasta el año próximo, el año del alivio de luto en aquella desgracia que había atañido a todo el público.

LA RUEDA DEL «RECORD»

Estábamos merendando en el campo, cuando vimos que descendía de lo alto una rueda de automóvil que vino a incrustarse en la tierra, quedándose como una moneda en la hucha llena.

Parecía una rosquilla que nos enviaba el cielo para que completásemos la merienda.

Lo extraño es que no era esa ruedecita enana del tren de aterrizaje de los aeroplanos, sino una rueda de automóvil de carreras.

—¡Qué raro! —dijo el niño, que siempre asistía a las meriendas—. ¡Ahora hay ruedas mensajeras en vez de palomitas!

—Pues esta rueda hay que llevarla al Laboratorio Municipal —opinó la jamona que asiste también a las meriendas y que, si bien logra sentarse en el campo, no se sabe cómo se podrá levantar.

Yo opté por coger el neumático y llevarlo al R. A. C. donde, después de un detallado estudio, me comunicaron que aquella rueda se le había escapado en Filadelfia al «auto» del gran «recordman» que se había matado cuando llevaba una velocidad de dos mil a la hora; se le voló esa rueda, que había traspasado el Atlántico, y había ido a perturbar nuestra merienda en la Moncloa.

EN UN BAILE DE LOS SUEÑOS

Mara se metió en aquel sueño doblegada por el cansancio.

No quería entrar en un baile en que todas las mujeres llevaban el mismo dominó verde y el mismo antifaz rosa. Le dio miedo la confusión en que podía borrarse.

Iba del brazo de su Luis, pero temía que creyese que todas eran ella. ¡Qué extraña angustia!

En el baile había una confusión atroz, porque era el salón más pequeño que el grupo compacto de las máscaras.

Al empujarse unas a otras las parejas querían deslabonarse, quedarse los unos con las damas de los otros.

En un momento dado tocaron a «galop», y Mara se vio desprendida de Luis y convertida en un dominó verde y rosa como todas las demás.

Entonces comenzó el sudor amarillo del sueño, la insolución del caso, el pánico ensañado de los sueños.

Mara no sabía qué hacer, cuando en el desiderátum de no volverle a encontrar se le ocurrió quitarse el antifaz.

Luis, que la buscaba entre todas las máscaras, la pudo encontrar, y entonces se despertó victoriosa, deshonrada, por ser la única máscara descubierta ante tantas máscaras con el rostro tapado, pero salvada de ser para siempre un dominó verde y rosa patinando entre mil dominós verdes y rosas.

EL RECALCITRANTE DE LOS PISOS BAJOS

—¿Cómo vive usted siempre en piso bajo? —le preguntó, ya sin poder más, el amigo indiscreto.

—Se lo voy a decir —contestó el recalcitrante de los pisos bajos—. Yo antes vivía siempre en los pisos últimos; me gustaba esa luz fotográfica de los áticos, pero un día en que daba una comida a un matrimonio muy amigo nuestro y cuando estábamos en lo mejor de la francachela, la mujer de mi amigo echó de menos a su esposo... Todos creímos que volvería en seguida, pero sonó el timbre de la calle y el portero, consternado, nos anunció que alguien se había tirado desde mi balcón... Quedó tan rota aquella alegría de la amistad, fue tan duro aquel golpe para mi memoria, que decidí no vivir más en un piso alto que pudiera servir de camino de la muerte a una visita suicida.

LITA-FOI

Aquella bailarina no tenía edad y parecía haber muerto y haber resucitado varias veces, aunque siempre conservaba su cuerpo largo y escultural y la sabiduría de armonizar los más bellos pliegues en la más ligera túnica.

—¿Otra vez Lita-Foi?

Y parecía que un tiempo remoto volvía a la vida con su embocadura de teatro antiguo.

¿Cuál era el secreto de supervivencia de la antigua bailarina? Su pan de misterio estaba en sus discípulas, las niñas renovadas a través del tiempo, con las que Lita-Foi bailaba alguna vez en escenarios iluminados por el reflector morado.

Lita-Foi absorbía la infantilidad de aquellas niñas, el vapor violeta que se desprendía de sus bailes, esa gracia que sólo tiene la pierna colegial al torcerse en el gesto de holocausto y de ofrenda, mientras los brazos se enarcan sobre la cabeza sosteniendo el velo de las cerezas.

LA ESTRELLA DEL POLO NORTE

La estrella del Polo Norte estaba cansada de pasar frío y entonces pidió traslado.

«Sólo puede canjear su puesto con otra estrella del Polo Sur», le dijeron, y ella se conformó porque esperaba que en aquella región meridional hubiese días cálidos y cordiales.

La estrella del Polo Norte estuvo por fin, después de interminables trámites, en el cielo del Polo Sur.

¡Qué sorpresa la suya al encontrarse con las mismas nieves, los mismos pingüinos y las mismas focas bigotudas y colmilludas del Polo Norte!

Lloraba por haber hecho tan largo e inútil viaje y todas las otras estrellas la miraban como a una extranjera descontenta sin que nadie se atreviese a consolarla.

¡Cuánta melancolía en la estrella polar equivocada!

Se la puede ver desde este hemisferio en las noches de cielo despejado y tranquilo, pues se la distingue porque tiene un brillo más azulado que las otras estrellas y la caracteriza su parpadeo inquieto y lagrimeante.

BONITA HISTORIA DE LA GUANTERA

Sentía que estaba en un purgatorio de manos negras y manos blancas.

Era una disfrazadora de manos que cuando más sufría era cuando le dejaban un par de guantes a los que había ensanchado en vano.

El taburete en ángulo de probar los guantes esperaba codos como un aparato de antigua liturgia.

Los caballeros le entregaban su mano, pero ella les veía partir indiferentes después de aquella breve sumisión.

Un día llegó un caballero que buscaba unos guantes verdes, y que cuando colocó el brazo sobre el sillín para los brazos, tomó la actitud osada de ir a echar un pulso con ella.

La guantera cayó en la trampa y sufrió el vencimiento de la mano dura y varonil.

La escena fue muda, rápida, de victoria sin discusión, y aquel caballero se llevó a la guantera y dejó los guantes verdes.

LA AMISTAD ROTA

Nunca había podido imaginarme por qué me había dejado de escribir aquel amigo.

Le escribí una sentidísima carta por la muerte de su esposa, y nunca volví a saber de él.

Por fin, un día me le encontré en un tren.

En el pasillo confidencial del vagón, frente a la verdad de la noche del campo que rozaba el cristal de la ventanilla, le pregunté la causa de su silencio.

—¿Quieres que te sea franco? —me dijo—. Pues te confesaré que me hizo muy mal efecto tu carta de pésame por la muerte de mi esposa.

—¡Cómo! ¿Es que quizá cometí alguna indiscreción en mis condolencias?...

—No... Sino que mi esposa no había muerto y murió a los diez días de recibirse tu carta de pésame.

—¡Qué extraño! No recuerdo ahora quién me dio la noticia, pero tú comprenderás que yo no la inventé...

—Me lo supuse, pero no pude volverte a escribir...

No se me ocurrió decir más que un «¡Qué casualidad!» mayúsculo, y descendí en una estación anterior a la que iba, porque se hizo insostenible nuestra presencia en el mismo tren.

CARTA AL PIYAMA

Cuando subía a la terraza encontraba a veces secándose al sol un peludo piyama de seda japonesa que evocaba una damisela de brazos largos y piernas largas, de esas que fuman en una pipa muy larga los pitillos más largos del mercado.

Un día se me ocurrió colgarle al piyama, entre pecho y espalda, una carta de declaración amorosa.

«Señorita: La sombra de seda de su delicada persona me ha incitado a escribirle esta carta confidencial de amor.

»El flechazo que he experimentado viendo a través de muchos lavados su precioso piyama es ya para mí algo obsesionante y que hoy estalla en esta carta de declaración.

»No sería correcto que yo quisiera verla vestida con este piyama, pero sí puedo saber por cualquier señal que usted es la del piyama, la presentida, la amada del enamorado insomne que soy yo.

»No deje de contestar esta petición de amor nacida en
la suposición de esos paseos por la terraza en que tiene
uno aspecto de presunto suicida.»

Esperé el devenir semanal del piyama y por fin apareció
con una cartita colgada de un alfiler de gancho en sitio
bien visible del pecho. La abrí y leí lo siguiente:

«Caballero: Siento mucho tener que comunicarle que
este piyama no es de una señorita, sino de un señor.

»Perdone usted esta franca declaración de

Un vecino.»

EL QUEJIDO DE LA BIBLIOTECA

Precisamente entre los numerosos tomos que abrigaban
las paredes de la biblioteca era enjugado todo ruido como
si le hubieran aplicado una densa pared de papel secante.

Tan extraño era el fenómeno de aquel «¡ay!» que con-
movía a veces la nave atestada, que el lector impenitente
se había achacado a sí mismo aquel suspiro al que en-
capirotaba la flor de un «¡ay!».

Pero lo evidente, lo último, lo acabado de desglosar era
aquel ¡ay! insistente, escape enfisemático de los pulmones
de las hojas.

¿Quizá el reloj? Pero el reloj estaba parado como un
almanaque de hacía años.

Las rendijas de las ventanas también suelen hablar, lan-
zando sutiles cosas a través de sus labios semicerrados.
Las observé, pero sólo emitían hojas de papel de viento
sin ningún ruido.

El ¡ay! fantasmal y verdadero era un suspirar de le-
chuza escondida.

¿Quizá en la lámpara, como escape de la luz que espera
la noche con ansia de que llegue cuanto antes? Observé
la dirección de la lámpara para poder apreciar si salía
de su globo el suspiro y el ¡ay!

Al poco rato comprobé que no, que el ¡ay! suspirado
brotaba de detrás de mí de entre los propios libros.

Repasé los títulos por si encontraba alguno tan sentimental que fuesen sus páginas las sensibleras, pero todos
eran libros históricos y de heraldía.

El ¡ay! a intervalos desiguales y largos reaparecía como
si contase las treguas de un aburrimiento o una tristeza
muy humana.

No podía trabajar con aquella espera del ¡ay! al filo de
cuya próxima exhalación se sentía siempre otro ¡ay! Ya
me dediqué a vigilar aquel ¡ay!, a apostar que volvía.

No pudiendo más, me levanté y salí en busca del bibliotecario.

El bibliotecario escuchó mis observaciones, y, atraído
por el misterio, se dirigió conmigo hacia la biblioteca. Él
no había podido oir aquel ¡ay!, porque nunca hacía estan-
cias largas en aquel sitio enrarecido del palacio.

Los dos guardamos silencio, y a poco surgió el ¡ay! en-
tonado, que parecía escapar, aplastado como un pensamiento, de entre las páginas de un libro.

—Sale de aquí —dije.

El bibliotecario se acercó a aquel plúteo y tomando en
sus manos un libro con algo de devocionario para la primera comunión, me dijo:

—Aquí está el secreto... Este libro está encuadernado
con descote de una dama a la que quiso mucho el viejo
marqués...

El suspiro estuvo desaparecido mientras miramos el libro,
acariciando la tersura de la encuadernación con algo de
mano muerta. El ¡ay! se había replegado al sentir la indiscreción.

SUICIDIO DE UN PIANO

Subían el piano a aquel cuarto piso en medio de toda
la expectación de la calle, entre el chirrido emocionado
de las cabrias, cuando el gran piano vertical se escapó de
sus amarras y se estrelló en mil pedazos y en más de
mil notas.

La bomba musical conmovió a toda la ciudad, y aparecieron bemoles perdidos en los tejados lejanos y teclas negras en guantes remotos.

El piano, fatigado, se había salvado de las monótonas lecciones de la señorita del sombrero verde.

LA LUNA DE ESPALDAS

Todo le había fallado, como en el tango, y no sólo había visto que otros se probaban sus trajes, sino su propia piel.

Venciendo la pesadilla de la vida, salió a darse un paseo en la noche, cuando vio que la luna tenía el rostro en blanco, limpia su cara de esa expresión humana que es lo único que hace resistible el gran espectro. ¡La luna le había vuelto la espalda! ¡El colmo!

Entonces se propuso atravesar el río a pie, y se hundió en el paseo.

REENCUENTRO

Las dos amigas se habían separado hacía muchos años, y en un andén cualquiera se habían vuelto a encontrar.

La una, Cristina, había tenido dolores y estaba satisfecha de sus alegrías. La otra, Lisa, que había sido siempre la cortasueños de las trenzas ilusionadas de Cristina, había tenido una vida neutra.

—Y tú, ¿qué haces ahora? —preguntó Cristina a Lisa.

—Yo —respondió Lisa— busco las lágrimas que no he llorado.

LA SANGRE EN EL JARDÍN

El crimen aquel hubiera quedado envuelto en el secreto durante mucho tiempo si no hubiera sido por la fuente central del jardín, que, después de realizado el asesinato, comenzó a echar agua muerta y sangrienta.

La correspondencia entre el disimulado crimen de dentro del palacio y la veta de agua rojiza sobre la taza repodrida de verdosidades dio toda la clave de lo sucedido.

LA MUERTE DE EVA

En aquel primer momento la primera pareja no sabía lo que era la muerte, y no acababan de saber lo que podía ser.

Eva fue la primera muerta del mundo. Se quedó yerta, sin saber ni ella misma que se había muerto. Todos creyeron de buena fe que se había dormido, y no como hacen que lo creen los autores dramáticos que han abusado del «Duerme..., duerme», dicho con la voz melosa de la mentira.

Pero durmió tanto de un tirón, que ya se decidieron a intervenir y a remover a la durmiente:

—¡Eva!... ¡Eva!...

Eva dormía un sueño violáceo, sordo, en el que ya no había sueños ni esa iluminación particular de los sueños, ni tan siquiera esa lamparilla de engaño que se mantiene siempre encendida en el soñar.

Todos se acercaron a llamarla, y hasta intentó hacerle daño Adán con brusquedad desesperada. Por todos pasó la idea no de que se hubiese quedado en la muerte, sino en un sueño interminable.

Los llamadores de los brazos fueron sacudidos, desesperadamente, por los hijos.

—¡Madre!... ¡Madre!...

Esperaron. ¡Había tantas cosas que no habían comprendido en el primer momento!

Todos estaban como anubarrados por aquel sueño inaudito... ¡Si hubiera podido llamarse a uno de esos médicos que tan bien certifican la defunción! Pero no había médico que valiese.

Fue un velatorio largo, lleno de suspicacia, barruntando no sabían qué.

¿Es que sería posible que no volviese en sí y que se encarroñase como aquel perro leal que murió el primero, o como aquellos animales —corderos y lobos— que vieron caídos y recomidos en las selvas?

Todos miraban con ojos de espera la muerte absoluta de Eva, y sintieron cómo comenzó el hedor de la muerte y vieron apoderarse de su nariz el cáncer de la muerte, y por fin, convencidos, la escondieron en una plazoleta del bosque, debajo de muchas ramas, pues de ningún modo se pudieron atrever a enterrar al primer muerto, ellos que eran los primeros asistentes al primer sepelio humano.

El enterrar es cosa de resignados, y hay tan espantosa crueldad e impasibilidad en echar mucha tierra sobre un difunto, que sólo los ensañados hombres de después fueron capaces de eso.

LA ÚLTIMA BARRACA

La verbena era muy extensa y se internaba en el boscaje de la noche. Las últimas barracas estaban en el otro polo del ferial.

Pocos llegaban a la última caseta con embocadura de gruta de los milagros y con una dama cubierta de antifaz que pregonaba las curiosidades interiores.

Los que entraban por fin, veían a sus antiguas novias, pues aquella era la barraca mágica de las novias desaparecidas y olvidadas, dedicadas las pobrecillas a tan triste oficio, a tan postrera exhibición.

EL PESCADOR LOCO

Hay locos que tienen cierta lógica. Así aquel que se dedicaba a pescar hojas secas con el paraguas abierto dentro del estanque.

El sentido del paraguas tenía que sufrir alguna vez esa inversión al ser aparato de pesca en los lagos del otoño.

Siempre ha tenido el paraguas una cosa de red fracasada, de cazamurciélagos sin altura, de achicaaguas para barcos en peligro.

EL REFLEJO DE NARCISO

Lo que no se sabe de la leyenda de Narciso es lo que pasó al atardecer de su último día, cuando se estaba mirando aprovechando la postrera luz junto al lago de su narcisismo.

Narciso perdió el equilibrio, dio una vuelta de campana en el agua y su reflejo, la imagen espejeada en el oscuro líquido es la que salió a flote y la que comenzó a vivir como recuerdo de Narciso.

Por eso el Narciso viviente, el que se pasea por el mundo es pálido, desvanecido, estéril, de palabra meliflua: un Narciso pasado por agua, sombra nada más de aquel hijo de los dioses.

LA LÁMPARA DEL ESCRITOR

El escritor se ha dormido en medio de su trabajo, ya pasada la madrugada, cansado de la ímproba tarea, como incubando las cuartillas bajo su cabeza caída.

El escritor se ha despertado sobresaltado, creyendo haber perdido más tiempo que el que ha pasado entre su vencimiento y su erguirse avivado, aunque el reloj le absuelve con fosforescencia de amanecer.

Pero ¿cómo tiene apagada la lámpara? ¿Quién ofició de apagador si él está seguro de no haberlo hecho?

El escritor se ha quedado pensativo, y cuando ha querido volver a encender para espantar a la medio sombra del alba, la lámpara no ha respondido. Se fundió.

La Muerte —el genio de la Muerte— ha pasado y compadeciéndose del escritor en vez de extinguir su vida ha quemado su lámpara.

EL QUE MATÓ AL LADRIDO

Estaba imposible el ladrido aquella noche. Se abría como rabia de la tierra entre la crespa maleza.

Era bastante lejos de la casa.

Desesperaba el estar oyendo el ladrido emboscado, y el dueño de la finca dijo al amigo que conversaba:

—¿Cuánto apuestas a que mato el ladrido?

—Este puro que me han regalado en el bautizo de esta mañana.

El osado tirador de rifle continuó mientras cargaba su escopeta:

—Sé dónde está, donde no deja de abrirse la boca mal educada... Si mañana vemos a la víctima, ya veréis como le he dado en la mismísima boca, como si le hubiese hecho tragarse una buena píldora.

Apuntó, disparó y se acabó el ladrido:

—¡He matado el ladrido! ¡He matado el ladrido!

Al día siguiente se encuentra muerto a su rapaz que, según se supo después, imitaba perfectamente el ladrido de los perros.

No se puede disparar en la oscuridad para matar ningún aspaviento de las sombras. ¡Cuidado!

BOMBONES DE IDEAS

Un dulcero de gran cultura acaba de lanzar los bombones rellenos de ideas, ideas variadas, ideas de arte, de literatura y hasta de política.

Reconociendo el pecado de aquellos bomboneros que guillotinaron los libros antiguos por hacer con ellos cajas de dulces, ha logrado encuadernar sus bombones ilustrados como nuevas ediciones con personalidad propia.

En los cinematógrafos tendrán gran aceptación estos bombones, pues siendo el sitio en que menos se piensa es posible que sea compensada esa falta de pensamiento por la dulzura de saborear bombones y pensamientos.

Lo más sorprendente de los nuevos dulces es lo inesperado de sus evocaciones, pues unas veces es un *haikai* lo que brota de ellos y otras veces saben a la menta de las kasidas moriscas, y algunos, los más vulgares, saben mucho a reverso de hoja almanaque.

Es muy posible que, gracias a los bombones de ideas, la humanidad, y la mujer sobre todo, logre poblar la cabeza de algo más que pájaros y mariposas.

LA OSTRA LADRONA

Al abrir aquella ostra, la encontraron llena de perlas.

El abridor de ostras creyó de su deber avisar al dueño del hotel y se dirigió a la dirección:

—Señor —le dijo al director— he encontrado una ostra con un montón de perlas escondidas como si se las hubiese robado a sus compañeras.

—Vamos a ver a ese monstruo —dijo el director y caminó hacia la cocina. Pero cuando llegaron, la ostra fenómeno había desaparecido.

Se había ido con su collar de perlas al teatro de la Ópera a lucirse y a ver la función.

CONCURSO DE SALÓN

Se les ocurrió en la sobremesa proponer que cada uno diese una definición de los celos. Todos se mostraban muy regocijados porque sabían que estaba entre ellos el gran celoso y lo iban a hacer rabiar.

Pero el gran celoso se levantó y sin despedirse de nadie salió de la casa dando un formidable portazo.

—¿Han oído —dijo abochornado el que había propuesto el juego—, ese portazo es la gran definición de los celos... Celos verdaderos es marcharse, sentirse ofendido al oir que se iban a burlar de lo que rompe más irreparablemente el corazón del hombre.

CAZADOR IMPROVISADO

No había cazado nunca, pero se proveyó de todos los aperos de caza y se unió a unos amigos que iban a una cacería de ciervos.

—Necesito cazar una cierva —les decía nerviosamente.

—Pero hombre, ¿por qué tan urgentemente? —le preguntó el jefe de la expedición.

—Por transferencia.

—¿Transferencia de qué?

—Transferencia de mi mujer... Evitación de crimen.

Entre los compadres del círculo se cuchicheó que aquel improvisado cazador debía estar un poco loco. La consigna fue: «ojo con ponerse en la trayectoria de su escopeta».

Le dieron un puesto solitario y lejano y sólo se volvieron a acordar de él cuando le oyeron gritar: «¡La cobré! ¡La cobré!», y una cierva muerta lo miraba desde la muerte con ojos reconvenidores.

Pero el cazador improvisado, después de realizada su fechoría, entró en su casa satisfecho, desobsesionado, ya sin deseos de matar a su mujer.

FECHA DE LA ALIANZA

No se sabía ni poco ni mucho quiénes eran ellos, pero producía una gran curiosidad aquella pareja que llenaba de perfume de amor los viales del jardín del Sanatorio de Reposo.

Cuando alguien preguntaba por ellos al viejo director, éste contestaba:

—Son herencias del otro director... Sólo sé que vienen en cuanto se abre la temporada, todos los años.

Sus compañeros de descanso hospitalario, que no descansaban, queriendo saber un dato que aclarase quiénes eran aquellos enamorados escapados de un cuadro aprovecharon la reunión en el jardín de invierno un día de lluvia y la casamentera mayor les preguntó de pronto:

—¿Y ustedes cuándo se casaron?

Los dos interrogados se miraron sorprendidos como queriendo recordar.

—¿Cuándo nos casamos? —respondió él preguntándole a ella—. Ya no me acuerdo...

—Pero es muy fácil —respondió ella sacándose la sortija matrimonial— y, leyendo el lema secreto, dijo:

—En 1820.

Entonces pasó por todos el escalofrío de lo inverosímil convertido en realidad.

—Aquí vinimos a pasar nuestra luna de miel —aclaró él—, y si será esto saludable que desde entonces no hemos faltado ninguna temporada.

EL DESAPARECIDO

¿Había desaparecido de verdad? ¿Estaba sólo dibujado en tinta simpática e invisible sobre el vacío del espacio?

Una prueba de si era un aparecido o un desaparecido sería echar vaho en el espejo del perchero de la que fue su casa.

Allí se dirigió con filtrable seguridad, hizo lo que pensaba y la luna biselada no se empañó.

Todavía le quedaba una esperanza: él había pensado toda la vida que el verdadero peso de una persona no lo revelan más que las básculas de las estaciones.

Hacia una de ellas se dirigió, pero como no tenía la moneda necesaria, buscó una farmacia para pesarse y vio que no se movía la aguja.

¿Estaría descompuesta? Esperó a ver si se pesaba alguien y en seguida apareció la mujer que está haciendo régimen y la aguja se movió hasta el setenta y cinco.

No había nada que hacer. Entonces se dedicó a viajar en barcos, trenes y aviones, naturalmente gratis, como turista invisible.

EL HOMBRE DE LAS DOS SOMBRAS

No existe el hombre que no tiene sombra, no puede existir. Puede hasta existir una sombra sin cuerpo, pero no un cuerpo sin sombra.

Lo que sí existe es el hombre que tiene dos, tres y hasta cuatro sombras. En la gran ciudad y, sobre tôdo, cuando

pasamos frente a luces más distintas, aparecen las dos sombras, la una la de la negación y la otra la de la afirmación.
Sólo entre esas dos sombras que nos son igualmente queridas, nos gusta escoger la ciudad, y a las dos las convidamos en el café en que tomamos café. Las dos sombras nos sostienen como dos muletas y sabemos las muchas cosas que dependen de tener dos sombras.

¡ÉSE SOY YO!

Cuando vi sacar aquel cadáver del agua, grité:
—Ése soy yo... Yo.
Todos me miraron asombrados, pero yo continué: «Soy yo... Ése es mi reloj de pulsera con un brazalete extensible... Soy yo.»
—¡Soy yo!... ¡Soy yo! —les gritaba y no me hacían caso, porque no comprendían cómo yo podía ser el que había traído el río ahogado aquella mañana.

LA LENTA CARRETA

En un viaje por Oriente me encontré una carreta, pesada, solemne, con paso de elefante y que llevaba la más pesada, pero la más perenne piedra del mundo para el famoso templo de Salomón, por encargo de Salomón... Unos miles de años llevaba de camino el carro pesado y lento, camino de Jerusalén... Sus ruedas cantaban un canto del pasado.

LA MARIPOSA EN LA TORMENTA

La tormenta veraniega era espantosa. Hubo que cerrar los cristales. La luz se reflejaba en la ventana como en un *acuarium,* y entonces vi una mariposa pegada al cristal que subía y bajaba en vuelo de cosquillas.
La lluvia lo azotaba todo, pero la mariposa se defendía aún con el polvo impermeabilizado de sus alas.

Me impresionaba aquel vuelo que era como un signo de urgencia, pero no me atrevía a abrir, cuando de pronto oí una voz, como la voz de la niña más pequeña de las niñas, que gritaba: «¡Abre!»

Y abrí.

PROFETA EN CORONAS

En la modesta tienda de flores el hijo era un augur de coronas.

La base del pequeño negocio era saber cuántas flores había de traer para despacharlas en el día, y Marianito sabía con fijeza las coronas que se venderían de la mañana a la noche.

—Hoy diez.

—Hoy dieciséis.

—Hoy sólo cinco.

Y así sucedía, y sus padres lo miraban con misterioso respeto por poseer esa extraña condición de adivinador de coronas.

EL VIEJO ESCRITOR

Ya no quería recibir a nadie, evitando viesen tal como estaba en sus postrimerías, pero vino de lejos alguien que insistía sin parar y quería empujar la puerta entreabierta.

La vieja asistenta luchaba con el intruso.

—Imposible... No está para nadie... No se le puede ver.

—Dígale que es sólo un momento, pero que no me quiero ir al pueblo sin conocerlo.

El viejo escritor al oír aquel apremio, se levantó de la mesa en que escribía el noveno tomo de sus memorias, y dirigiéndose a la puerta, la abrió de par en par y dijo al intruso:

—Pase... Ya que se empeña en verme, véame... Estoy sin cara, esa careta que todos llevan puesta y que yo me quito para escribir con más verdad. ¿Qué le parecen mis tendones rojos y entrecruzados?... Tampoco tengo orejas, como verá... Tampoco tengo dientes, que estorbarían a la

fluidez de la idea como serretas de caballo... Estoy en libertad de acción para escribir lo soñado, lo no impuesto por
nadie, lo que después le gusta a usted...

El entremetido tenía una cara de pavor, en la que el viejo
escritor se veía como en un espejo de horror, y lentamente
retrocedía hacia la puerta, hasta que escapó corriendo por
la escalera como alma que lleva el diablo.

ESPEJO DOBLE

Usaba ella uno de esos espejos de cartera, que son espejo por el anverso y por el reverso.

Él había sospechado que había algo diabólico en ese
doble espejo, algo de burlón y de inusitado, y cuando ella
se miraba en él observaba que sucedía un fenómeno que
no acababa de comprender.

¿Qué era? ¿Miraba o recogía la imagen del que la miraba por detrás o ponía espejo al que la miraba por delante?

No acababa de ser eso, pero notó que según se mirase
de un lado o de otro emprendía o no la carrera de la coquetería, que una faz del espejo era la mala y la otra la
buena ; la una la 'tentación al mal y la otra al bien.

Él temblaba cuando llegaba la hora de repintarse, después del aperitivo o de la cena, y por fin optó por romperlo.

¡Desgracia! Aquello fue peor, pues le trajo la mala suerte de perderla para siempre.

TRASPASO DE CORAZONES

En el laboratorio de los grandes experimentos se quería
saber si el amor está en el corazón o está en el cerebro.

La operación para lograr esa prueba sería dificilísima y
peligrosa, pues había que traspasar el corazón de él al
pecho de ella y viceversa.

Los más sabios quirurgos intervinieron en la operación
y cuando el cambio de corazones se hubo realizado, carea-
ron a los enamorados.

Él al verla no reveló amor alguno por ella, pero ella, llena de angustia, le rogaba que la rccordase y cumpliese sus promesas de amor.

Los doctores, desconcertados, no sabían qué conclusión debían escribir en sus memorándums; pero al fin descifraron por escrito el problema.

«El amor no está en el intelecto, puesto que él, cerebralmente, no la ha reconocido como su amada, pero sí está en el corazón, puesto que el corazón de él, injertado en ella, ha sentido pasión y amor. Lo que ha complicado el experimento es que el corazón de ella, ensamblado en el pecho de él, ha revelado que ella no lo ama y sólo lo aparenta hipócritamente por cálculos egoístas de su cerebro.»

El comunicado fue secreto, pues al volver a injertar los corazones, la pareja volvió a sus salas de cicatrización, mientras los doctores sonreían, porque habían sabido experimentalmente la indiferencia de ella y el loco amor de él.

LA ESTATUITA

La compré en casa de un anticuario por puro entusiasmo, pues no era de marfil, ni siquiera de hueso.

Aquel desnudo de mujer erguido frente a mí en la mesa de trabajo era como un estímulo ideal y en la soledad era como una aparición llena de humanidad.

Estaban un poco esbozadas sus formas y el incógnito material se veía que era de una sustancia blanda, que se había puesto dura.

Sólo un día de tormenta y a la luz de un relámpago más genial que los demás relámpagos, me di cuenta de que aquella plasmación reducida de una mujer viva se debió a que la vela que la alumbraba al acostarse, al ver su bello desnudo, quedó extasiada y la reprodujo en su cera, como lo hubiera hecho un escultor iluminado.

LA ETIQUETA DEL SASTRE

En aquel saliente que hacía el malecón había un banco para contemplar el mar desde la proa de la tierra.

Hacia allí iba para hacerme la ilusión de que navegaba cuando al acercarme aquel día vi a un hombre que estaba quitando la etiqueta del sastre a su saco.

Precipitadamente, como quien detiene al suicida en su faena final, me dirigí a aquel hombre y le pregunté por qué hacía aquello:

—¿Es que quiere borrar toda huella de identidad antes de matarse?

—No, señor... Es que en la etiqueta está el nombre del que me ha regalado el traje y no es cosa de que ande con el nombre de otro a cuestas.

EL HIPNOTIZADOR DE BUZONES

Aprovechaba ese interregno en que no quedan más que los buzones en las altas horas de la noche.

Había leído tantos libros de hipnotismo, magnetismo y sugestión que hacía las experiencias más extrañas, habiendo llegado a magnetizar automóviles, variándoles de sitio de estacionamiento desde lejos y sólo enderezando un dedo.

Pero su principal fechoría era la de hipnotizar buzones y trasladarlos de sitio.

Los del Correo vivían en perpetua zozobra porque en el mapa de los buzones aparecían en lugares inusitados los que tenían su puesto cartográfico en otras esquinas.

En vista de eso, se montó una guardia especial y así lograron detener a aquel tipo extravagante que trastornaba la vida postal urbana.

SABE A MARIPOSA

Llegó a la gran bodega el supercatador, y cuando le dieron a probar el caldo rubio del jerez nuevo, dijo sin dubitación alguna:

—Esto sabe a mariposa.

Todos se quedaron perplejos porque el dictamen del supercatador era inapelable.

Por si hablaba en un sentido simbólico, le preguntaron:

—¿Y eso qué quiere decir?

—Nada, no se alarmen —repuso el genio en distinguir sabores—. Eso quiere decir que ha caído una mariposa en la gran tinaja.

Dudando de tanta sutileza, subieron en una escalera para ver si se veía la mariposa ahogada, y, en efecto, una mariposa blanca se había ahogado en el néctar rubio.

EL PASTEL DE BODAS

Los novios eran tan flacos y con tan poca vida que cuando les dieron el cuchillo para partir el pastel de bodas no pudieron partirle.

Todos los invitados se quedaron paralizados de estupor al ver aquella impotencia en el trascendental momento de calar la dulce masa blanca.

Entonces el divorciante que hay en toda boda exclamó:

—Este matrimonio no puede ser válido... No se puede dar por consumado... Es impedimento eximente el no haber podido cortar el pastel de boda según marca la costumbre.

Y la boda se deshizo y todos los invitados se fueron muy mohínos y cariacontecidos.

EL TERMO CON UNA CARTA

En la playa apareció un termo, en el que venía la carta del náufrago moderno.

«Como la botella ya está anticuada para llevar estas cartas desesperadas —decía el texto del náufrago moderno—, yo he querido inaugurar la época del termo S. O. S.

»La botella, además, pocas veces llegaba a su destino porque se rompía contra las rocas, y como era el sobre

preservador y necesario, se perdía el texto de la llamada
urgente o de la despedida exprés.

»El termo hará, además, que llegue aún tibia el último
aliento del que se ha perdido en el mar o en sus islotes.»

EL FUSILERO NÚMERO 3

El pelotón lo componían cinco soldados que para que
no sintiesen la responsabilidad de matar, sabían que una
de las cinco carabinas no tenía bala sino pólvora sólo y
no se sabía a quién de los cinco le había tocado.

Los cinco, pues, se podían creer impunes, pues cualquiera de ellos podía ser el que disparó sin bala.

—¡Pun! ¡Pun! ¡Pun! ¡Pun! y ¡Pun!

El fusilado cayó exánime y el pelotón se fue tan cam-
pante.

Sólo Dios sabía que la bala mortal de necesidad había
sido la que había disparado el fusilero número 3 y le había
abierto la respectiva cuenta corriente en su haber.

EL CISNE MALO

Como los cisnes pueden llegar a los cien años, son crue-
les dentro de su máscara de belleza.

Así, aquel cisne la mitad negro y la mitad blanco, empujó
al niño al agua, y si no se ahogó fue porque lo salvaron
los gritos que dio la niñera.

Altivo, vestido con un largo guante de dama que va a
la Ópera, vi cómo escuchaba las amonestaciones por su
maldad.

Entonces comprendí esa hostilidad que hay entre los
chicos y los cisnes viejos, reconcentrados, aviesos y elegantes, que a veces aparecen muertos por la pedrada movida
por el subconsciente de los rapaces que corren alrededor de
los lagos y los estanques.

EL RUBINÁ

El rubiná era la fruta que sorprende en los comedores tropicales.

Era una fruta amarilla con un carozo en forma de huevo.

Confieso que me gustó aquel huevo duro con pintas rojas, y lo dejé sobre mi chimenea como una curiosidad más entre los riscos de amatistas y los caracoles encrestados.

Pero cuál no sería mi sorpresa cuando, incubado por el calor de la chimenea, saltó un pájaro con plumas de hojas y revoloteó como un loro escapado de su jaula.

Los naturalistas estudian el caso y, desde luego, creen haber encontrado el eslabón entre lo vegetal y lo animal, pareciéndoles lógico que el primer huevo de la primer ave estuviese en el fondo de una fruta.

EL TRESILLO CHINO

No le había quedado más que una caja de tresillo chino, que siempre había sospechado que estaba incompleta por dentro.

En un día de mayor miseria la abrió para ver si podía pignorarla o no, y al abrirla, comenzaron a salir polillas con alas de abanico, y encontró en ella, como en una caja de prestidigitación inagotable, chales de colores, collares, pulseras de jade, etc.

En vista de la proliferación de aquella caja puso una tienda, que tituló *Del Nativo Oriente,* y dedicado a su exótico negocio, se enriqueció de nuevo.

Todo salió de la caja de tresillo, que no se llevó la quiebra como si no sirviese para nada.

LA CASA DEL FABULISTA

La casa del fabulista está en las afueras de la ciudad y tiene un jardín lleno de bustos y un corral lleno de gansos, cigüeñas y todos esos otros animalitos que figuran en las fábulas.

El fabulista habla con sus gansos y echa de comer granos de poesía a todo su corral.

La zorra se asoma a la verja de su jardín para saludarle y el burro tiene un rebuzno distinguido cuando pasa junto a la casa del fabulista.

LAS JAURÍAS DE LA LUNA

Había tanta luna aquella noche, que la ciudad se había convertido en pueblo, y era penoso leer las largas casas enlunadas como pruebas de imprenta sin texto.

La luna inventaba ladridos, y los estadísticos de los perros se volvían locos, queriendo descubrir dónde podían estar tantos perros como se oían. Eran jaurías de la invención, los verdaderos perros famélicos de la luna, los que mordisquean ese gran hueso de un mundo muerto que es la luna.

LA FINCA DE LAS ESTRELLAS

En el corazón del mediodía está la finca en que caen las estrellas, finca llena de grandes calveros, churrascada, reseca, en que siempre hay matorrales que crepitan porque ha caído en su corazón el cohete muerto de una estrella desprendida.

La casita que gobierna esa gran estancia es muy pequeña y tiene techo de pizarra y numerosos pararrayos para estrellas.

Y en esa pampa van cayendo las estrellas que vemos describir un arco fugaz en el cielo de la noche.

EL ESTUDIANTE DE GEOMETRÍA DESESPERADO

Tenía que realizarse alguna vez el suicidio prescrito por las puntas afiladas del compás.

El estudiante de geometría, cansado de circunferencias y de medios arcos, harto de dejar los ángulos como baúles abiertos, ahíto de intersecciones y eclipses, se clavó el compás en el corazón, poniendo el centro geométrico al círculo de su límite, al perímetro de su vida y su muerte.

LA MORA DEL TAPIZ

Había comprado el tapiz en un almacén cualquiera para cubrir una puerta que sobraba en su despacho.

En el tapiz se abría una perspectiva de harén y se destacaba una mora de hondo mirar.

Poco a poco, aquella mujer casual fue influyendo e imponiéndose en su vida y llegó a no hacer otra cosa que buscar una mujer como la del tapiz.

Su obsesión por las morenas era tan viva, que sostenía que una rubia «es una morena oxigenada de nacimiento».

Por fin, un día encontró la mora del tapiz, y desde entonces va unido a una mujer rechoncha, morenaza, con las cejas unidas sobre el entrecejo.

¡Quién iba a decirle que aquel tapiz malo, con pebeteros mentirosos, iba a supeditar su vida a un destino invariable!

SECRETO DE LAS REVOLUCIONES

Nadie sabe cómo se hace la revolución contra los reyes.

Los historiadores han inventado mil teorías y ha habido sociólogo que ha dicho que la aparición coincide con el incremento de los paraguas.

Se ha llegado a suponer que el derrocamiento de los reyes se debe a que en el subconsciente todos quieren ser el propio rey y esperan que la corona se multiplique y todos tengan corona para andar por casa.

La verdad pura o la pura verdad es que todo se debe a un grito lanzado en medio de la multitud por el especialista en revoluciones o quizá por un imprudente que no ha podido ir al cinematógrafo.

Ese alguien grita:

—¡A Palacio!

Basta. La multitud grita a coro: «¡A Palacio!»

El que gritó primero «¡A Palacio!», se cree con derecho preferente a presidir la manifestación y marcha a su cabeza.

Por las calles, de vez en cuando, grita el promotor: «¡A Palacio!», como si fuese una invitación a una cena de gala.

Pronto están frente a Palacio y entonces el que lanzó el grito primero se vuelve a su casa y los que están a la cabeza entran en el portal de Palacio y son barridos por las balas, después los segundos, después los terceros y los cuartos, hasta que los quintos suben las escaleras de Palacio, suben, suben hasta que se sacian de espectáculo de altura.

BRINDIS CIENTÍFICO

Los dos hombres de ciencia del mandil blanco trabajaban su hallazgo en fervorosa colaboración. El uno a un lado y el otro al otro de la mesa de cristal, juntaban los líquidos más diferentes en un tubo de ensayo.

¡Si llegasen a encontrar lo que buscaban!

Desde las ocho de la mañana hasta las ocho de la noche combinaban microbios, sueros y líquidos de colores inexplicables, como preparando el *cocktail* de la ciencia.

Un día, por fin, exclamaron: «¡Ya está!», y con frenética alegría levantaron dos de los tubos de ensayo con la pócima de la muerte sin salvación, y después de brindar se bebieron su contenido.

La embriaguez científica del descubrimiento les llevó a una muerte fulminante, víctimas del delirio de la invención.

EL TIBOR DE LA EMBAJADA

Los embajadores de la China que hay repartidos por el mundo son los más importantes personajes, y todos tienen tibores de un precio incalculable, piezas únicas de las porcelanas que crearon los dioses.

Pero aquel embajador que tuvimos —los más importantes son los embajadores que «tuvimos»—, tenía un tibor más único que los demás tibores, un tibor que sólo enseñaba al final de las grandes recepciones, cuando se quedaba con los dos o tres personajes que gozaban de su intimidad.

En esa hora de confidencia, cuando el humo oriental de los cigarrillos consumidos por los que se fueron y el humo del champaña derrochado dejaban sobreexcitado el ambiente de los salones, el embajador que tuvimos se aproximaba al tibor excepcional y hacía que hablase del alma antigua de su raza, la mujer exquisita del pasado, la tradición mágica del imperio poético de los primeros tiempos.

Los que asistieron a las recepciones del embajador que tuvimos y se quedaron a última hora en los salones llenos de la demasiada luz que les inunda cuando llega la hora de las ausencias, no olvidarán nunca la elocuencia del tibor impar con el que el embajador que tuvimos hacía una experiencia de ilusionismo digna de un embajador.

LAS ETIQUETAS FRATERNAS

En la larga espera del andén vio el caballero del traje de espiguilla que sus maletas estaban junto a otras maletas completamente iguales. Ese mozo que no puede servir sino a dos clientes a la vez, las había atraillado con la misma correa y las había soltado juntas en el trecho que habría de corresponder a los coches de primera del tren que llegaría pronto.

El caballero del traje de espiguilla vio que en los lomos de las maletas iguales a las suyas había pegadas las mismas etiquetas de hoteles remotos, de países distintos, de aduanas idénticas.

Buscó con avidez al dueño de aquellas maletas, y vio llegar una señorita ágil, que buscaba a sus valijas como si buscara a sus perritos.

El caballero del traje de espiguilla notó el desconcierto de la dama al ver duplicadas sus maletas y se atrevió a decirle:

—Señorita... Tenemos destinos tan iguales que nos sería más cómodo viajar juntos. ¿Quiere que reunamos nuestras vidas?

El tren que llegaba como si fuese a perder el tren les distrajo, pero en el cómodo vagón de primera se arregló el asunto, y como los dos iban a El Cairo, allí se celebró la boda.

LA MASCOTA ORIGINAL

Cuando las autoridades iban a ver al viajero solitario del Pacífico, que lo había atravesado de extremo a extremo, se sorprendían al ver su mascota. ¡Había recorrido el Pacífico acompañado de una mosca en una jaulita de red metálica!

El valiente marino sólo sentía el orgullo de su mosca y se sentía seguro gracias a aquel acompañamiento humorístico que retrataban los fotógrafos.

«Es la mejor compañera —había dicho a los periodistas—, sobre todo en un viaje por entre esas innumerables islitas del Pacífico, anotadas en los mapas como esas motas que dejan las moscas en las pantallas.»

EL REY DEL CAFÉ

En la ciudad del café, en Santos, donde funciona la Bolsa del café con febrilidad exaltada, sucedió que el rey del café se puso muy grave.

La familia llamó a los mejores especialistas. Ninguno daba con lo que tenía aquel corazón, que palpitaba locamente en su pecho como un reclamo de perdiz en una jaula.

Todos los médicos le recomendaban que no tomara café, pero a todos les contestaba él: «¡Si no lo pruebo!»

El caso es que tenía en el corazón el alcaloide más pavoroso del café, base y esencia de su fortuna.

Entonces a un médico se le ocurrió ponerle a leche para lograr la mixtura salvadora y desasimiladora del café, componiendo un café con leche interior que le fuese salvando.

LA DAMA DE LOS NAUFRAGIOS

El barco entró en ese peligro súbito que anuncian los timbres rojos a los que no contesta ningún criado.

El observador de los peligros y las aventuras estaba gozando de aquel pánico revuelto que matizaban las salidas de baño. En la sorpresa, muchos aparecieron como frailes colorinescos del naufragio.

No le entusiasmaba el espectáculo, cuando de pronto vio a una dama que no había aparecido en el comedor nunca, ni se la había visto en los salones ni sobre cubierta, la dama incognital por la que merece la pena de vivirse un naufragio.

Bellísima, con el piyama más japonés del mundo, era Nuestra Señora de los Naufragios, la que no se logra ver ni a la entrada ni a la salida de los pasajeros, la que sólo se deja ver cuando suenan los timbres rojos del cinematógrafo del salvamento.

EL CABALLERO DE LOS CALCETINES TRISTES

Me lo había encontrado varias veces a la puerta de los hoteles, en el banco de la paciencia de los antedespachos, en algún andén de estación.

Respiraba el pesimismo del hombre de los calcetines tristes, ese pobre ser que se lleva siempre los últimos calcetines que quedan en las cajas aplastadas, los más hostiles a las miradas, los que fueron una equivocación de las estampaciones, los que recibieron el recuerdo de los colores y el dibujo del cansancio del trabajo de la fábrica.

El pobre señor ponía la vista baja en sus calcetines y reflexionaba mirándoles, contagiándose así cada vez más con la tristeza de sus calcetines tristes.

En vez de un régimen caro y endocrínico, se hubiera salvado a ese pobre amargado de los calcetines elegiacos con haber variado de calcetines, con haber elegido algunos caros y vistosos en los esscaparates de las farmacias de calcetines.

FRASCO DE SUSPIROS

En la tumba del último faraón se ha descubierto un frasco herméticamente cerrado del que parecían haberse evaporado las esencias que hubiese podido contener.

Al ser abierto para percibir de qué pudo haber estado lleno, el arqueólogo O'Neil y los que estaban con él percibieron el distinto y profundo son de numerosos suspiros.

El arqueólogo O'Neil ha declarado que esos hondos suspiros del pasado son incomparables con los suspiros del presente.

LA LIMOSNA AL HIDALGO

El hidalgo avanzaba con disimulo, su mano en el aire, como si probase si estaba lloviendo.

Los otros hidalgos se sorprendían al ver aquel caballero mendicante que tenía sobrado aire de dignidad. Dudaban que aquella mano pulida y blanca, que podía dedicarse a bendecir o a levantar penitentes o sentenciados, pidiese una moneda.

Sólo un hidalgo, más intrigado que los que pasaban de largo, probó la incitación de aquella palma de la mano, y vio que el doblón que puso en ella se pegó firmemente al hueco carnal, demostrando que estaba imantada de pobreza.

—¡Para mis pobres! —dijo el hidalgo, guardándose la moneda y salió, escapando en busca del arroz más barato en las posadas de urgencia.

EL ESPEJO ENVENENADO

Se sabía que había sido embajador en Rusia y que de allí se había traído muebles muy ricos y extraños, el saldo de los últimos palacios.

Retirado de la diplomacia, no necesitaba salir a la calle y se paseaba por entre vitrinas, biombos y armarios.

Sólo invitaba a esas señoras maduras, que están dispuestas a ver las colecciones de un diplomático jubilado.

El hombre extraño y escondido que había copiado la sonrisa de una careta, se encariñó con una de aquellas visitantas y quiso retenerla por la muerte, ya que no podía retenerla por la vida.

La había abierto el cuarto, que no abría a nadie, cuando supo que no iba a volver.

—Quiero que se mire en el espejo en que nunca se miró nadie...

Ella, agotada en su deseo de vivir al mirar el espejo, gritó con toda desesperación:

—¡Auxilio! —y salió corriendo.

EL PINTOR CON MUCHOS PINCELES

Era un mal pintor, lo fue siempre, pero le había llegado la hora de vender sus cuadros en grandes cantidades.

—¿Pero cómo puede engañar a los elementos oficiales y a las personas pudientes con tan mala pintura?

Todas las telas manchadas que colgaban de su estudio no podían salir por la puerta porque eran inmensas como tapices de historia que el artista pintó para abrigar la pared del fondo, todo salió pignorado en muy buenos precios.

¿Qué es lo que había hecho madurar la suerte de aquel pintor absurdo?

El secreto fue que un día, en su madurez, recibió un consejo de aquel pintor bizco, que había sido su maestro y que le veía vegetar tristemente en su estudio destartalado y lleno de polvo de los lustros.

—Mira —le dijo el bizco maestro— compra muchos pinceles... Llena de pinceles varias ánforas de ancha boca y convida a políticos y ricos contribuyentes... No hay nada que les convenza como ver esos haces de pinceles, saliendo como flores del arte de esos búcaros improvisados...

En efecto, cumplió el consejo y al poco tiempo comenzaba a vender todos sus cuadros.

¿SON PEORES LOS FAUNOS QUE LOS SÁTIROS?

En las reuniones de sociedad que abusa del *cocktail* se oyen discusiones absurdas.

Como lo actual es una recaída en los mismos tópicos, se recurre a lo más extrarradiado.

—¿Qué les parece a ustedes: son mejores los faunos o los sátiros?

—Hombre, le diré a usted: los faunos triscan más que los sátiros y se ríen más salazmente.

—Parece que los han visto ustedes mucho en sus excursiones —interviene un caballero, que goza estropeando los objetos de discusión.

—No es que lo hayamos visto —replica el intervenido—, pero todo el mundo sabe que los sátiros son impresentables y, sin embargo, los faunos pueden andar decentemente por un jardín.

Las damas sonríen.

—El fauno es un sátiro que sabe nadar y que toca la cornamusa. Sus faunalias eran como tes danzantes primitivos.

Dos damas se han hablado al oído, poniéndose el abanico como pantalla de su confidencia, y entre risas ha exclamado una:

—¡Ah! ¡Entonces prefiero a los faunos!

EL PUEBLO DE LOS QUITAMANCHAS

Aquel turista empedernido, que había dado la vuelta al mundo en distintas direcciones, llegó un día al pueblo al que se retiran a vivir tranquilos los tintoreros jubilados.

Él no sabía a dónde había ido a parar y en su descuido saboreaba la tranquilidad y limpieza que se disfrutaban en aquel caserío de cuyos balcones colgaban, flamantes como banderas, trajes de vivas estampaciones.

En eso, un grupo de aquellos pacíficos moradores se echó sobre él bruscamente y le comenzó a desnudar.

—¿Pero se han vuelto locos? —gritaba el turista desesperado.

No le contestaban y mientras le tenían imposibilitado
unos cuantos, otros que habían corrido con sus ropas a una
casa próxima, volvían al poco rato con su traje recién
limpio y planchado y se lo volvían a poner con toda
amabilidad.

Después le saludaron y se fueron.

Sólo al llegar al hotel le dijeron que aquél era el pueblo
de los «quitamanchas» enriquecidos y que por la fuerza
de la costumbre hacían eso con todo forastero que acertaba
a pasar por allí.

MONSIEUR GUILLOTINE

Monsieur Guillotine era un zapatero de portal, que fue
a ver a Robespierre para ofrecerle su invento.

Robespierre estaba aquella mañana enfurruñado y de
mal humor, pero tanto insistía aquel hombre tétrico, que
le permitió montar su aparato en el patio de su casa.

—¿Está ya eso? —preguntó Robespierre cuando vio aparecer a monsieur Guillotine.

—Ya está, sir.

—Bueno... Pues pruébelo.

Monsieur Guillotine quería hacer el ensayo con un pe-
rrito, pero Robespierre se indignó y comenzó a proferir
improperios:

—Cobarde, cabeza de predestinado. ¡Ensayar con un pe-
rrito! ¡Impío!

Acudieron los guardianes de Robespierre a los gritos de
su ídolo y entonces Robespierre les dijo:

—Agarrad a ese ciudadano y dejad caer sobre su cabeza
la hoja que reluce en lo alto de su aparato...

Monsieur Guillotine gritaba:

—¡Hacer esto con el inventor! ¡Pagarás con tu cabeza
este atentado!

Pero a los dos minutos caía la cabeza de monsieur Guillotine, cortada por su propia guillotina.

ESPEJOS QUE DEFORMAN

La broma de los espejos de deformar a los que se miran en ellos es una broma macabra.

Aquella desdichada pareja a la que todo le salía mal, huía de ponerse delante de los espejos que hacen mal de ojo.

Pero en la feria de los milagros, en el gran Luna Park para los domingos sin puerto, el pobre matrimonio triste se vio refugiado en los espejos monstruosos en un topetazo inesperado con ellos.

Ya cogidos por los espejos como por unos cepos visuales, fueron probándolos todos, el que les hacía altos y con la cabeza achatada, el que les hacía anchos y con la cabeza en forma de pera y, por fin, el más fenomenológico de todos, el que les hacía enanos, absurdos enanos con las piernas cortas y patizambas.

—No vayamos a contagiarnos —dijo él más previsor que ella siempre.

—¡Pero fíjate qué engendros resultamos los dos! ¡Ja, ja, ja!

—Vamos, quita, que no puedo verte así. Que me parece que vas a ser así toda tu vida.

—Espera un poco. Somos unos verdaderos liliputienses. ¡Ja, ja, ja!

Él, nervioso y fuera de sí, la arrancó del espejo, pero cuando echaron a andar, notaron los dos que estaban convertidos en verdaderos enanos, irreparablemente contagiados, ya sólo destinados a ser atracción de barraca de feria.

LAS LLAVES DE LA CIUDAD

Una vez, un gobernador de Toledo se llevó las llaves de la ciudad.

Hay que tener cuidado con esas llaves simbólicas.

Eran la gran honra de las ciudades antiguas y se las dejaban a los grandes visitantes.

Don Fernando de los Pedroches Hinojosa y Masfuerte era el huésped de honor de la ciudad de Maraón y el alcalde le envió al hotel el estuche con las llaves de oro.

¡Qué gran venia rizó don Fernando ante el estuche abierto en el que relucían las inmensas llaves!

—¿Y son de oro macizo? —preguntó sin poderse comer la pregunta.

—De oro antiguo, del que pesaban todo lo que aparentaba pesar.

Don Fernando daba lejanas referencias de sus antepasados y se hacía pasar por un ilustre descendiente de los grandes de España.

—Pero no hay ningún Girón entre los suyos —le preguntó un admirador de los Girones.

—No hay ninguna Girón lo cual prueba que todos usaban ropa nueva —contestó él con un mal chiste indigno de quien tenía en depósito las llaves de la ciudad.

Don Fernando vio todas las curiosidades de la iglesias y los museos, recibió regalos, despachó tarjetas, pero una madrugada desapareció con las llaves simbólicas.

Se reunió el Ayuntamiento y el principal problema lo planteó un joven concejal humorístico que dijo:

—Lo que hay que saber es si las puertas de la ciudad estaban abiertas o cerradas, porque si estaban cerradas nos hemos quedado encerrados para siempre.

Pero como aquella ciudad no tenía ni murallas ni puertas todos sonrieron.

LA SIESTA DEL PAÑUELO

En el país de los fusilamientos donde hay un cementerio de generales fusilados y hay desde muy antiguo cátedra de la muerte porque hombres de tez cobriza con sombrero muy ancho disparan contra la tapia del castigo matando al más plantado, sucedió una tarde que...

Me lo contaba el nieto. El abuelo solía dormir la siesta y tenía la costumbre de atarse un pañuelo a los ojos para

no ver ninguna rendija de luz en el cuarto en que se echaba a dormir.

Ya era proverbial aquella siesta con los ojos tapados y
por eso no le importaba que se entreabriesen las puertas.
Él no veía nada ni nadie porque su pañuelo le tapaba
herméticamente.

El nieto me contaba que era impresionante la figura del
abuelo vendados los ojos, con algo de ajusticiado en la
inmovilidad del sueño.

—Ya sé que me va a decir —contaba el nieto— que lo
que le voy a contar está prefigurado porque después supe
la verdad de lo acontecido, pero yo puedo asegurar bajo
mi palabra que no se amañan los recuerdos de niño.

—Venga, venga... Sólo por el modo de contar las cosas
sé yo si es mentira o verdad lo que se cuenta.

—Pues verá usted... Mi abuelo estaba ausente con su
tapaojos y es que estaba cambiando su destino ¡se iba pre-
destinando! Así llegó un día en que vinieron por él y le
fusilaron mientras él tenía los ojos tapados como cuando
dormía la siesta.

LA MUJER MELANCÓLICA

Aquella mujer melancólica me tenía intrigado. ¿Cómo
si era tan bella podía ser tan melancólica?

—¿La conoce usted?

—No, no sé quien es.

Ella decía que yo buscaba un introductor de embajadores pero esperaba que eso sucediese al azar.

De nuevo en otras reuniones volví a encontrar a la joven
beldad melancólica —diciendo beldad se dice que es más
verdad su belleza— y tampoco encontré el que la conociese
para presentármela.

Hubiera dado yo ese paso por mi cuenta pero no me
interesaba lo bastante para afrontar esa audacia. Sólo quería saber el por qué de su melancolía y un poco también
el sentido de su belleza.

—Usted conoce a quien yo quiero conocer —exclamé al ver que un amigo había hablado con ella.

—No, yo no la conozco. Yo sólo la he preguntado si había visto a la dueña de la casa.

Por fin la misma dueña de casa me presentó a ella y después de una larga conversación no supe ni el por qué de su melancolía ni el de su belleza. Fue largo.

Pero un día me dijo:

—¿Quiere que le diga por qué tengo melancolía? Pues porque soy modelo de esa fotografía que se publica en todos los diarios anunciando el «Sudoral».

EMPLEO PARA LOS ZORROS

Lo que no se le ocurra a un peletero no se le ocurre a nadie.

Aquél puso un anuncio en los diarios que decía:

«Se da buen empleo a los zorros.»

Acudieron muchos zorros desocupados que al fin iban a entrar en la vida urbanística y civilizada.

El peletero los hacía pasar al escritorio y allí los mataba y les arrancaba la piel.

Sólo gracias a esa estratagema abusiva de los zorros en paro forzoso se hizo rico el peletero.

LADRONES DE HÉLICES

Como el buzo ya no necesita el antiguo traje pesado y complicado que le daba tipo de *acuarium,* sino que hay escafandras leves, sencillas caretas para el agua, han aparecido los ladrones que maniobran en el fondo de los puertos.

La más terrible cuadrilla es la de los ladrones de hélices, temible banda que arranca a los barcos su principal pieza y los deja sin posibilidad de moverse.

Es un momento de pánico cuando el capitán ordena levar anclas y al ponerse en movimiento la máquina el barco queda inmóvil, sin revolucionar el agua, sin rizar el medio rizo, siempre inacabado, siempre en espiral pero por eso fecundo en velocidades.

—¿Vamos? —pregunta el capitán por el teléfono que da al maquinista.

—¡Nos han robado las hélices! —grita desesperado el jefe de máquinas desde sus profundidades.

Y el viaje tiene que quedar aplazado hasta que fabrican unas nuevas y costosas hélices para el navío.

LA ROSA EN LA BOCA

Cuando subió a la carreta de la guillotina la fina aristócrata quiso hacer algo muy despectivo contra la multitud que gritaba a los sentenciados al pasar y se puso una rosa en la boca.

El carro que lo peor que tenía era el ajetreo sobre las piedras y las hondonadas daba un bello movimiento a la rosa colgandera.

Cuando el verdugo la colocó bajo el triángulo afilado ella no quiso quitarse de la boca su rosa y cuando cayó la cabeza al contraerse su rictus siguió la flor apretada entre sus labios.

DOMINGUERO

Había estado en el zoológico con una antigua amiga creyendo que el domingo no tiene ojos, pero al llegar a su casa le sorprendió ver que su suegra estaba de visita más tiesa que nunca y con una mano envuelta en mitón de espinas.

—¿Qué hacía usted en el zoológico con una rubia?

—Una antigua amiga que encontré cuando estaba paseando.

La cosa quedó así, pero a él lo que le preocupaba es cómo le podía haber visto porque el pobre no sabía que el gran misterio de su suegra es que era leona de jaula hasta que tocaban la campana de salida.

EL PEOR SUEÑO

Como dormía a deshora tenía sueños ensañados.

«¿Cómo puede ser uno tan enemigo de uno mismo?» —se preguntaba al despertar y añadía a esa pregunta la pregunta paralela—: «¿Y cómo entonces extrañar que los demás sean enemigos de los demás?»

Parece mentira que entregándose uno sin armas ni bagaje al descanso, confiando en la hermandad consanguínea y fusionada que uno debe ser para sí mismo se aproveche el sueño de que tengamos los ojos cerrados para que la imaginación prepare todos sus instrumentos operatorios y se ensañe con nosotros.

Cuando se tienen sueños así dan ganas de no volver a dormir, haciendo huelga de sueño.

Pero un día soñó el peor de los sueños. La atmósfera de su pesadilla era muy neblinosa y no podía saber qué había pasado antes.

El caso es que se encontraba metido en rueda de presos como presunto autor de un crimen.

Presidiarios de mala catadura formaban junto a él —vestido también a rayas— el corro de la expectativa.

Una mujer que le dio mucho miedo, vestida de viuda rigurosa avanzó con el director de la prisión y penetró en medio de la rueda de presos. Ganas le dieron de proponer que todos se agarrasen de la mano y girar alrededor de los dos investigadores no dejándose ver ni alcanzar en la vorágine, pero comprendió que aquí jugar al corro no era posible en un momento tan serio.

La viuda miró a todos con mirada lenta y cuando llegó a él se quedó fija y señalándole con el índice dijo:

—Éste es.

EL CIPRÉS QUE SE PASEABA

Los cipreses tienen vida propia, son monjes de capucha
en punta y sayal descolorido y pardeante.

Saben esperar, meditan, se esconden en sí mismos.

Les he estado vigilando hace muchos años con mucha
paciencia y candor, viendo cómo a veces inclinaban la
cabeza bajo las tapias blancas como si se atasen un zapato,
pero nunca les había visto moverse, trasladarse de un sitio
a otro, hasta que una noche de luna en que era muy her-
moso pasearse les vi formarse en fila de monjes y pasear
a la vera del río volviendo después a su sitio a seguir re-
zando el rosario de sus bayas como hechas sus cuentas
con los higos secos y pelontológicos de Jerusalén.

DETRÁS DE LA CATEDRAL

Vivía detrás de la catedral y veía pasar trovadores, cie-
gos, cabalgantes, santos con aureolas y diablos cojuelos.

La espalda de la catedral estaba en una plaza, a la que
daban grandes palacios absolutamente dormidos.

En la noche veía cómo la luna se enhebraba por las es-
padañas y caladuras y hacia los bordados de plata y de
estrellas de los grandes paramentos.

Dándose cuenta de que viviendo en aquel remanso iba
a vivir mucho, había guardado monedas de plata para
una vida más que centenaria.

En aquel sitio marginal, como en el trasmundo, se celebraban aún fiestas de sojuzgación y otras prebendas de lo
desusado.

Un día se estrenó un auto sacramental al estilo antiguo,
pero con elementos modernos, ya que el autor era un
poeta traspillado de nuestro tiempo.

Sin embargo, en él se mezclaban palabras antiguas a los
elementos actuales, y en un momento dado, como un milagro, se sintió que un helicóptero vibraba en el aire y,

aterrizando sobre las losas musgosas, descendía como emisario del cielo un ser con traje de apóstol que promovía con sus palabras la identidad de todos los tiempos.

GAVIOTAS CONTRABANDISTAS

El detective de la noche ya había descubierto la existencia de perros de la luna, que, como si se hubiesen tirado de la alta cama con colcha de plata, recorrían desalados la ciudad nocturna.

Eran unos perros blancos, como desnudos, que a veces presentaban una mancha negra que parecía un agujero que los atravesaba de parte a parte.

La comprobación definitiva de esa realidad la había logrado estudiando los perros sucios de la tierra que cazan los laceros al amanecer y entre los que no aparecía ya a esa hora ningún ejemplar de la especie selenita.

Pero al detective de la noche le quedaba algo más sorprendente que descubrir.

En sus paseos por la dársena, cuando el faro de la escollera hace sospechar que anda mal la instalación eléctrica del puerto, vio a la luz de bengala de ese foco solitario que ilumina los barcos dormidos, a un hombre que a la puerta de una casilla oscura miraba insistente al cielo como esperando algo.

Se escondió para observar bien, y vio cómo entraban ráfagas blancas y huidas por la ventana abierta del altillo.

Así descubrió las gaviotas contrabandistas y logró que sentenciasen a aquel contraventor, y no sólo por su avieso negocio, sino por haber pervertido con afán de lucro a las cándidas y desinteresadas gaviotas, amaestrándolas para que pasasen sobre la vigilancia de la aduana el alijo de los barcos.

MESA RESERVADA

Era el que se hace reservar mesa en los grandes y los pequeños comedores, y toda su vida giraba alrededor de aquella responsabilidad adquirida.

Unas veces le servía su preminencia de reservador de mesa para negarse a una invitación —«Tengo reservada ya una mesa»—, y otras veces para comprometer a sus amigos y a sus amigas: «Ya mandé reservar mesa.»

Toda su ilusión era llegar al comedor estalactitado de luces y que el camarero, al verle entrar, se precipitase a enderezar las sillas inclinadas en reverencial espera contra el borde del mantel.

No faltó nunca a sus reservaciones, y por eso aquella noche, en que al verle tan pálido le instaron para que se retirase a su casa a descansar, él respondió solemnemente:

—No puedo... Tengo reservada mesa en el Albion.

Y fue al Albion, y cuando hubo «comandado» el *menu* y la botella estuvo en el balde de plata, se retiró y no pudo volver para los brindis, porque su mutis había sido el brindis final de su vida.

EL ASCENSOR QUE BAJA

El ascensor, que era grande y blindado, respiraba ansiosamente al entreabrirse, y todos se hubieran quedado en el descansillo si no fuese un piso tan alto y tan lejano su punto de destino.

El cajero de aquel *coffre-fort* colgante volvía a abrirles y a libertarles, gritando a los que esperaban:

—¿Para abajo?

Algunos se iban y otros entraban, y el viejo ascensorista no miraba a unos ni a otros, y volvía a repetir:

—¿Para abajo?

El funicular vertical seguía su marcha hacia la ciudad altielevada.

Se veía al práctico avergonzado de su ilusión, porque su deber era el escueto deber de bajar o subir sin poder dirigir al azar y en el espacio aquel avión que no salía de su plomada.

—¿Para abajo?

Se aclaró un poco el manojo de espárragos en conserva de los viajeros cuando llegó al nivel de la calle, pero aún

quedaron bastantes para optar por las diferentes platafor-
mas del mundo subterráneo.

—¿Para abajo?

Aquel descenso era interminable, y hubo un momento
en que se quedó casi sola una mujer dolorosa y extraña.

Algunos viajeros de los más antiguos en aquel viaje des-
cendente la miraban sorprendidos de su transformación:
«No era así cuando entró.»

Por fin sola con el ascensorista, y según seguía bajando
se iba poniendo su cabello gris, hasta que cuando oyó el
aviso de «¡Punto final! ¡Terminus!», salió como rata de
pelo blanco a la que han abierto la ratonera.

EL CHAL DE LENTEJUELAS

El caballero desconfiado temía en las travesías a las mujeres que tenían algo sirenaico y se resistía siempre a la
proposición de asomarse a la pasarela de cubierta acom-
pañando a esas damas en traje de noche que rimaban con
la seducción del mar.

Pero durante aquella velada se había visto arrastrado
por la belleza del chal de lentejuelas moradas, que mimaba
la tentación del oleaje con aquel chal, que era como un
mapa de los cielos oscuros a la par que estrellados cómplices de la fatalidad marítima.

Enfrascados en su conversación —botella de naufragio—
no se habían dado cuenta del pasar de las horas, cuando
ella miró el reloj y salió corriendo hacia los salones siempre encendidos.

El caballero desconfiado, que se quedó pensativo, me-
ditando si aquello debía continuar, vio de pronto, como
alucinación reveladora a la rielante luz del barco, el ala
desplegada de aquel chal de lentejuelas extendido sobre
las olas.

LA SILLA DE MANOS

Su originalidad es que tenía el teléfono en el interior de una silla de manos, colocada en el recodo de la gran escalera de mármol.

Aquella conversión del medio coche, que fue el estuche de las mujeres del pasado, en cabina telefónica, fue su gran rasgo aristocrático.

Era bonito verla abrir la portezuela de la silla de manos y entrar y sentarse para comenzar a hablar con no se sabía quién, pues resultaba hermético todo lo que sucedía allí dentro entre trasluces del pasado. ¡Sólo a una rubia se la podía haber ocurrido eso!

Sus gestos y sus coqueterías dentro del coche sin ruedas, con algo de alegre confesonario para pecados sonrientes, era algo que estaba pidiendo un pintor perpetuizador que la retratase en una atmósfera azul y empolvada al estilo de Mengs.

El marido, al verla en su jaula de cristal y molduras de oro, sólo tenía la idea de que estaba confinada en su ilusión, contestando a alguien que le insinuó la posibilidad de que tuviese celos:

—Las orquídeas no huyen de su sitio.

Sin embargo, los que la veían abusar del teléfono en el interior de la silla de manos sospechaban de ella, llegando una señora oficiosa a sorprender un retazo de conversación:

—¿Luis XVI? ¿Y cómo dice que le va?

—¿Cómo? ¿Que hace ya más de un siglo que no siente el reuma? ¡Ja, ja, ja!

Así se supo y se propaló que la telefonista de la silla de manos tenía conversaciones con los grandes personajes dieciochescos.

¿VIVE AQUÍ?

Salía el señor Operay de su casa, vestido de magistrado como siempre, cuando a unos pasos de su portal un hombre que traía unas señas escritas en un papel le preguntó:

—¿Vive aquí el señor Operay?

El señor Operay sintió un apretujón en su corazón del lado derecho y sin saber por qué contestó:

—No lo sé... Pregunte usted en la portería.

Después se alejó y cuando volvía la esquina oyó una explosión.

Se había salvado por el presentimiento y por negarse a sí mismo.

LA LUMBRE MÁS ANTIGUA

En un rincón de Irlanda hay candela de la lumbre más antigua que se conoce. Está en el yar de una cocina que ya es museo de candiles.

Todo se debió a un fumador en pipa que por no estar encendiendo siempre el fuego de su pipa dejó encendido permanentemente un tizón a través de los días.

De aquel tizón se hizo culto a su muerte y ya año tras año a través de cientos de años el fuego del pasado alienta el porvenir.

LA GRAN COARTADA

El mejor amigo es el que se tiene en el momento del crimen y señala el camino de la evasión o simplemente da el consejo mesurador de entregarse.

Aquel pobre hombre que nunca había cometido un crimen —nunca se ha cometido un crimen hasta que se comete— estaba más desconcertado que ningún criminal sin encontrar disculpa a lo que acababa de hacer, temiendo ser más culpable que ningún culpable puesto que no se le ocurría nada para atenuar su crimen.

Entonces pensó en el único amigo que tenía capaz de señalarle el camino de lo que debía hacer.

—¡Pero hombre en la que se ha metido! —exclamaba el amigo mientras algo luminoso se iba encendiendo en su entrecejo, hasta que por fin le dio el consejo atenuante:

—Beba, beba hasta emborracharse y después preséntese a la justicia y confiese su crimen.

El tímido criminal bebió, bebió pero bebiendo se olvidó del crimen y de las señas de la comisaría, pero detenido por borracho en la calle aquella borrachera le salvó de una condena de toda la vida, pues los jueces no se dan cuenta de si el criminal se emborrachó antes o después de haber cometido el crimen.

EL ABRELIBROS

Tenía los más extraordinarios abrelibros y los amigos admiraban la colección. Desde el abrelibros pata de ciervo hasta el que es puñal y anteojo.

Era una armería pacífica de puñales para ninguna puñalada porque sólo en las novelas se mata alguna vez con esa no-arma. En la vida el matar a otro o a otra es tan serio que por la propia dignidad del crimen se apela a un verdadero puñal o a un verdadero cuchillo.

El coleccionista de bellos abrelibros embotados al rasgar pliegos y afeitar papeles, cuando se quedaba solo y necesitaba abrir un libro pedía un cuchillo de postre del comedor.

REVOLUCIÓN

Cuando la revolución está en su crepiteo más sangriento es cuando se oye gritar:

—¡A matar los pavos reales!

No sería una revolución completa y tan digna como debe ser si no se oyese ese grito que es el ex libris revolucionario.

—¡A matar los pavos reales!

Entonces la multitud se desparrama por palacios y zoológicos y no queda un pavo real vivo y con plumas.

Entonces —sólo entonces— comienza la contrarrevolución.

NEGOCIO DE GUERRA

En la necesidad de huir del enemigo y sus bombas los hombres poderosos tomaban un avión donde quiera que estuviese y salían huyendo.

Entonces surgió el gran negocio de la guerra inmune y en gran escala.

El aviador lo facilitaba todo. No se necesitaba pasaportes porque él sabía sitios en que aterrizar.

Salía con una bandada de viajeros huídizos y clandestinos y cuando estaba en medio del mar daba a una palanca y el avión se abría por debajo y caían todos los pasajeros en el fondo de las turbias aguas.

Después volvía por otros a distinta playa, les hacía guardar sus objetos de valor en un compartimiento reservado del avión y después volvía a dar a la palanca y vuelta a volver de vacío a otro aeródromo.

Ningún negocio como aquel negocio de la guerra ante el pánico atómico.

REVELADOR DE TATUAJES

Había descubierto que todos los seres tienen inscritos en la piel misteriosamente los tatuajes que les corresponden.

Su reactivo con patente de invención revelaba dragones, casitas, jeroglíficos, estrellas, flores, mapas, manos de Fátima, paisajes y retratos, etc., etc.

Era fácil clasificar a los seres y saber lo que se proponían gracias a esos tatuajes descubiertos y sonsacados.

Complejos, manías, obsesiones eran descubiertos y puestos de manifiesto.

—A usted la doblega esa araña sobre el corazón —y mostraba a la paciente el tatuaje que dibujaba la gamada araña sobre la red de su tela, encima del seno izquierdo.

¡Qué de signos y dibujos de pared salían en los que iban a su consultorio!

Aquello no lo podía permitir el gobierno y le decomisaron sus frascos y su aparato.

EL GRAN PEDAGOGO

Este pedagogo no era de los que enseñan y enseñan *test* a los niños haciéndoles el engaño de la estampa cuando más descuidados están y anotándoles más o menos mala nota por lo que dicen al ver la estampa con ingenuidad distraída.

Este pedagogo tenía un plan filantrópico para iluminar a los niños sorprendidos por el colegio.

Escribía y escríbía comunicaciones al ministerio y hasta se dirigió a algunos ricachos pidiendo una subvención para realizar su plan.

Nadie le contestaba hasta que un día comprometiendo su sueldo para esta vida y la otra consiguió que le enviasen un gran cajón de caviar del país.

Los niños sobrealimentados con caviar comenzaron a progresar, a ser geniales, a ver la pega de los grabados tontos de los *test* y cuando llegó el inspector le envolvieron en ironías.

En vista de eso el maestro aquel fue declarado en situación de disponible y se cerró la escuela durante una temporada como si hubiese habido una epidemia.

REVENTA DE FLORES

La señora de la esquina en aquel barrio barato era una dama prudente, callada siempre con un velillo morado que la daba una vieja juventud.

Nadie sabía de lo que podía vivir pero el caso es que no debía nada a nadie y cuando pasaba el vendedor de telas ambulante no pronunciaba su nombre con ira como

el de las demás mujeres a las que, sin embargo, fiaba a
salto de vara nuevos géneros para nuevos trajes.

La señora no tenía ni rentas ni trabajo conocido, pero
despedía un perfume de señorío misterioso.

Sólo ella la de los pasitos cortos y el velillo morado sabía
la verdad de su vida que por otra parte no era vergonzosa.

Vivía de las flores con que el gran club adornaba las
mesas de sus banquetes públicos y sus banquetes íntimos.

Como a viuda de un antiguo y arruinado socio se le
había reservado ese regalo importante que ella revendía
en las florerías viviendo gracias a eso.

A veces se sentía parasitaria de ese fondo de galantería
que da el revés de los círculos —a la callejuela que pasa
por detrás— y se pudorizaba percibiendo sombras de oje-
ras y descotes en las flores como un violetismo picaresco
oculto en sus corolas un tanto sobrecogidas y ajadas.

EL ROBO PERFECTO

Así como hay la aspiración del crimen perfecto aquel
obsesionado quería llegar al robo perfecto.

Tenía dinero para cometer un robo perfecto y no se iba
a quedar atrás por cuestión de unos miles más o menos.

Poseía caja de caudales —gótica y grande como una
catedral—, guantes de goma y en vez de una linterna tenía
un foco central prodigioso de luz.

Una noche, una noche cualquiera, pues todas eran suyas
para elegir puesto que tenía el duplicado de todas las llaves de su despacho, entró en él y con la mayor serenidad
del mundo se desvalijó a sí mismo.

Al día siguiente la alarma de la ciudad fue enorme pues
era indecoroso que en el hogar del hombre más rico y con la
mayor impunidad del mundo se robase la cifra íntegra del
capital que aparecía en sus circulares y en sus membretes.

La policía durante algún tiempo se dedicó a la más ac-
tiva pesquisa y vinieron innumerables detectives.

Entonces llamaron al novelista y el novelista después de
estudiar mucho el asunto hizo que se consiguiesen en alla-

namientos por sorpresa todos los guantes de goma de que
se supiese existencia de ricos y pobres, de amas de casa o
de dueñas de pensión, castigando con severas penas a los
que no entregasen en el acto los guantes de goma que
poseyesen.

Una criada del hombre más rico demostró que su señor
tenía unos guantes de goma y también fueron decomisados.

Unos técnicos dactiloscópicos fueron volviendo del revés
con mucho cuidado los guantes de goma y en su interior
encontraron sobre el talco huellas dactilares perfectas, dando por fin ¡y en qué guantes! con las del autor del robo,
pues en el guante de goma estaba la huella de los dedos
que por descuido después de quitarse los guantes de goma
habían quedado en el automóvil de la huida.

LA MÁQUINA REGISTRADORA

El ambicioso almacenero soñó con una máquina registradora inmensa con un teclado mayor que el de un piano
y tocaba partituras de números, imaginando cifras porten-
tosas que elevaban sus ganancias.

Abrazaba a su máquina registradora, enloquecía sobre
ella como un Rachmaninof delirante. Pero su esposa que
ya estaba cansada de los arrechuchos de su marido y de
que la teclease en la espalda, se incorporó en la cama, encendió la luz y removiéndole con violencia le preguntó:

—¿Pero qué te pasa para que me abraces así y me acri-
billes con los dedos la espalda?

El medio despierto y medio dormido con ojos de espanto solo dijo:

—Me has arruinado.

HABLÓ EL BISTURÍ

Ya estaba tramándose la operación cuando oyó a un
bisturí:

—No te dejes. No te dejes.

Se levantó y se despidió súbitamente. Había recibido el aviso secreto. Moriría como fuese y cuando fuese pero sin recortado y recosido.

En señal de beneplácito al instrumental quirúrgico entra en una tienda en que se vendían objetos médicos y adquirió un aparato que le gustó y que no sabía cómo se llamaba científicamente.

Siempre estaría reconocido a esos instrumentos inoxidables que cumplen ciegamente su deber y que una vez se excedieron avisándole el peligro.

CRIMEN DIFÍCIL

No se encontraba ningún dato ni resquicio para descubrir al autor de aquel crimen.

El más comprometido sospechoso había sido encarcelado pero no había pruebas contra él.

Sólo un gato había visto cometer el crimen pero el fosco gato no decía ni palabra. Al juez se le ocurrió llevar el gato a la cárcel y ver si en rueda de presos reconocía al culpable.

El gato al salir de su cesta miró a su alrededor y de pronto observando el corro que le rodeaba saltó sobre el presunto asesino tan rabiosamente que lo comprometió quedando convicto y después confesó.

TRES HISTORIAS DE BALLENAS

1.ª Que en el puerto de Fort se ha descubierto un contrabando que pasaba hacía tiempo en el interior de ballenas sin faenar que arrastraban los barcos balleneros.

2.ª Que en un puerto de Noruega se ha visto llegar al cazador de ballenas solitario montado en su última pieza cobrada.

El polizón de ballenas se dejaba tragar por ellas y después las hería en el corazón saliendo a flote cuando esta-

ban bien muertas y eran como un gran salvavidas a la
deriva.

3.ª Que en el puerto de Londres se ha presentado una
ballena turista llena de etiquetas de hotel, la primera ballena que parece haber dado la vuelta al mundo.

EL SUEÑO Y LA MUERTE

Al sentirse envarado por el sueño y la muerte se apresuró
a irse a la cama.

Quería saber quién iba a llegar antes, si el sueño o la
muerte, pero en mitad del pasillo cayó dormido para
siempre.

El sueño y la muerte habían empatado en él su eterna
jugada.

MALOS CIMIENTOS

Habían edificado apresuradamente la casa sobre monto-
nes de latas de conserva vacías. ¡Si por lo menos las hubiesen rellenado de algo!

Pero poco a poco fue oscilando la casa y un día se hundió como si los muelles del colchón hubiesen cedido.

¿Y EL OTRO GUANTE?

Cuando el muy bebido llegó a su casa se dio cuenta de
que había perdido un guante.

Disgustado con aquel guante impar que ya no encontraría nunca su pareja, se durmió.

A las ocho de la mañana llamaron a su puerta con gran
impertinencia.

El criado le despertó y le dijo que dos caballeros exi-
gían verle.

Se echó el batín encima y salió a verles.

Eran los padrinos de aquel a quien había tirado en estado inconsciente el guante que le faltaba.

REGALO DE BODAS

El ricacho padrino le había regalado una avioneta.

Todos admiraron aquel aparato como para que se lanzase la pareja casada a las mieles de la luna, pero lo sorprendente fue que días antes de la boda voló el novio con dirección desconocida.

Se devolvieron todos los demás regalos.

EL GALLO DEL GUARDAGUJAS

En aquel momento de peligro no encontró el banderín rojo que detiene las catástrofes y ya oía al tren que avanzaba resoplador.

¿Qué hacer?

Entonces agarró al gallo bermejo del gallinero y lo hizo flamear al paso del tren con las alas extendidas.

El maquinista comprendió y frenó a tiempo salvando muchas vidas.

VUELTA AL MONO

No se había notado por de pronto pero estaba anunciada una vuelta al mono.

Ya se había notado en algunas sesiones de «cachas-cascan» del suburbio la aparición de seres suspectos que no es que fuesen atléticos sino que eran ya diferentes al hombre.

Los más involucionados, los que por abandono y barbarie ya estaban en un alto atrás más cerca del mono que del hombre, se ocultaban y se disimulaban.

Hasta que en el gran baile de máscaras de los dominós verdes, una mujer gritaba desde un palco: «¡Un hombre mono! ¡Un hombre mono!», pero el encapuchado verde saltó de cornisa en cornisa y desapareció por la claraboya del coliseo.

EL GALLO DE LA VELETA

¡Había desaparecido el gallo de la veleta, el laminado gallo de cresta y cola movida por el viento!

Se sospechó de todos menos del poeta de la buhardilla que tuvo que recurrir a ese extremo un día de mucha hambre.

No cabe dudar que fue él porque a los pocos días de ese gallo con arroz el poeta moría de peritonitis.

EL CINTURÓN

Aquel cinturón había sido el compañero de toda su vida y lo quería como no quiso a nadie. Fuerte, hebillado con hebilla de uña de león —sonaban sus articulaciones de metal como una campanilla de plata— llegó a considerarlo como verdadero hermano.

Cuando se presentó la muerte él sólo la pidió una cosa:

—Déjeme vivir hasta que dure mi cinturón.

Y la muerte se lo consintió y duraba, duraba, hasta que se pasó de tuerca y cansado de la vida se colgó de su cinturón.

EL JARRÓN ÁRABE

Aquel jarrón nazaré con reflejos metálicos y sombras de sangre, era con sus dos asas en jarras un ocaso vivo del siglo xv.

—Pieza única —decía su dueño y añadía— empotrada en un nicho del tamaño de una persona en el alcázar granadino.

El poeta no quitaba los ojos de la magnífica pieza con silueta de mujer, esbelta, larga, vestida de ópalo y madreperla desde el pie al cuello.

—¿En qué habitación estaba del alcázar? —preguntó el poeta.

—En la alcoba de la sultana —dijo el señor de la casa.

El poeta miró con los ojos más vivaces y como con mayor sorpresa al esbelto jarrón y exclamó:

—¿No ve que es una mujer que danza? Siempre había sospechado que un jarrón era una bailarina extasiada, pero ante ese jarrón estoy completamente seguro.

El señor de la casa veía algo gracias al entusiasmo del poeta y por un momento como si fuese una hurí que se desperezase, el jarrón en jarras, levantó sus asas como brazuelos que iniciasen el preludio de unas sevillanas.

OTI-OTI

Entre los dioses de marfil del Japón hay uno, que es OTI-OTI, perdido en el tropel de alfileres de los dioses, uno de tantos en las vitrinas de los dioses innumerables.

Es un dios OTI-OTI que se coloca sobre las mesas en que se come, entre el salero, los palillos y las vinajeras.

Es un dios OTI-OTI que no puede faltar de una mesa, pues sería peligroso comer sin él presente.

Es un dios OTI-OTI imprescindible, sobre todo en un pueblo en que se come tanto pescado y tan diferente y tan de filigrana.

Porque OTI-OTI es el dios que defiende de las espinas, comprendiéndose, por lo tanto, lo necesario que es en una buena mesa.

Gracias a OTI-OTI, cuando sacas a la mesa uno de esos peces todos llenos de espinas como para vengarse mejor del pez gordo que se los coma —única razón y causa de las espinas— todos se sienten alegres y confiados.

¡Qué dios más práctico es OTI-OTI! ¡Qué lástima que no tengamos nosotros un santo patrón contra las malas espinas!

—OTI-OTI —grita e invoca el que se ahoga con la espina, y después de mirar al dios de marfil viejo la espina sale sola.

En el Japón se cuentan esos milagros de salvaciones debidas a OTI-OTI, el diosecillo que enarbola una espina y que es el mejor centro de mesa, sobre todo allí donde se comen tantos peces de colores.

¿Y sabéis gracias a lo qué se salvó el otro día la señora Pilar que se atragantó con una espina en el comedor de un conocido hotel?

Porque —ella no lo sabía— el diosecillo de marfil colorado, como quien no hace la cosa, era el broche o cierre de su bolsillo de moda: era OTI-OTI.

Se necesita suerte...

EL TERROR DE LOS LIMPIABOTAS

Los limpiabotas saben muchos secretos de la humanidad pero no los propalan. La caja sobre la que depositan los pies calzados es como un confesonario diminuto.

Pero los limpiabotas conocen un monstruo, que es el hombre, que tiene garras de león.

Disimuladamente extiende sus pies ese caballero y ellos, allí abajo, en el secreto de debajo de las mesas se dan cuenta de que los pies que limpian tienen uñas de fiera, terribles zarpas que se transparentan y sobre las que echan betún para cubrirlas, dándoles después brillo con trapo tembloroso.

El limpiabotas, cuando asea al hombre de garras de león, no se atreve a mirar hacia arriba, y cuando accede coge su pago en el alero de la mesa y se va presuroso.

El tipo de las garras de león se queda tan reverendo aprovechándose de que el limpiabotas está obligado a callar porque es secreto de confesión lo que ha visto, y él sigue mirando a las incautas mujeres Gran Bar Americano, con sus miradas de león disfrazado, escondiendo sus uñas retráctiles mientras realiza la conquista.

EL QUE PARA PENSAR SE PONÍA BARBA POSTIZA

El hombre barbilampiño quería ser un pensador, pero no podía lograrlo por más esfuerzos que hacía.

Se quedaba a la mitad de los grandes pensamientos y no podía sacar la moraleja de lo que iba intuyendo.

Había leído libros sobre la reflexión, la lógica, el silogismo y la sociología, pero no podía llegar a acabar el cálculo y las consecuencias de cada idea.

Estaba desesperado. Quería ser filósofo y no podía serlo. Se distraía antes de llegar a exprimir hasta la saciedad esa idea simple que complica la filosofía.

Compró un reloj de arena, trabajó con una pirámide de ágata como pisapapeles de sus pensamientos huidizos. Nada. No podía filosofar.

Entonces se le ocurrió la idea prodigiosa que le había de dar tan buen resultado. Se compró una barba postiza, y cuando entraba en la meditación se la adhería fuertemente al rostro. Tirándose de los pelos de la barba, jugueteando con sus hebras, llegó a deducciones prodigiosas, se dio cuenta de su existencia hasta ese término evidente que hace gritar con alegría delirante: Existo. Como si el filósofo se hubiese vuelto loco.

Lo único malo es que se mesaba la barba tanto, que pronto estuvo ya en su segunda barba.

EL HOMBRE AL QUE SE LE COMIÓ SU RELOJ

Le habían dejado heredero de un reloj de tapas, de esos que hay que abrir cuando se quiere ver la hora.

Él notaba que cuando lo abría había en la esfera una siniestra sonrisa, y cuando lo cerraba algo quedaba mordido de él, de su alma, de la vida entre tapa y tapa.

Los amigos comenzaron a notar que el poseedor del reloj de tapas iba disminuyendo, disminuyendo, como si se fuese volviendo jorobado sin tener jiba.

Un día ya no fue a la tertulia porque se sentía demasiado pequeño y se perdía en el hueco de los discursos como un niño.

SEGUIMIENTO

La joven de gabán de piel extraña comenzó a andar de prisa porque la seguía un señor de gafas, con insistente avidez, como si a pesar de sus gafas fuese un recalcitrante miope.

—Caballero —le dijo en un momento dado y ya cansada de la persecución— ¿qué se propone usted?

—Perdone, señorita, pero soy un naturalista y quisiera saber de qué animal es la piel de su gabán. Nunca he visto cosa igual.

—Pues no se lo puedo decir. Es del Banco Municipal de Préstamos.

El naturalista desapareció.

EL ÁRBOL VENGADO

La consigna era que dejasen el dinero en las afueras de la ciudad en determinado árbol junto al tapial del cementerio.

Ante el rumor de las represalias no avisaron a la policía y depositaron el sobre con el dinero al pie del señalado árbol.

Todo iba a quedar impune cuando el fresno —que de esa especie era el árbol susodicho —la emprendió a palos con el extorsionista y así quedó vengado el chantaje.

EL SEÑOR ETCÉTERA

Tenía la manía de añadirse un apellido de vez en cuando y ya era el señor Luro Garavela, Ponferrada Mendoza y Calzado Alzola, el señor Etcétera, como le decían para no tener que decir toda su retahíla genealógica.

La muerte sobria y caritativa salió al paso del señor Etcétera, que murió de sobra de apellidos.

REMEDIO PILOSO

El opulento calvo se asomaba al balcón y sentía cómo la rubia de arriba, que tenía numerosas macetas, le daba una ducha de riego.

Primero pensó protestar, pero al notar que crecía el pelo en su pelada calva, gracias a aquel refrigerio de agua abonada por las macetas, aprovechó las circunstancias y llegó a tener la melena de los peludos.

LA BOFETADA

Creyó tener posada una mosca en la mejilla y se dio una bofetada tan sonora, que el socio del club, que estaba a la butaca de al lado, le dijo:

—Pero, caramba, ¿qué ha sido eso?

—Que tenía una mosca y he querido matarla.

—Perdóneme que le diga que no tenía ninguna mosca. Ha sido una bofetada ofensiva e inútil.

El abofeteado se puso en pie y se fue a su casa.

Allí meditó en el caso y como era un hombre de honor, cargó dos pistolas y en desafío consigo mismo, ¡pum!, se quitó la vida.

LA GAVIOTA Y EL HOMBRE

El hombre que no podía veranear, pensó una estratagema para poder refrescarse en las playas lejanas y cambió su alma con la de una gaviota, sólo mientras pasaba el verano.

La gaviota —mejor dicho, el alma de la gaviota— quedó solazándose como persona en la ciudad y el hombre, ansioso de veranear, se fue en alas de la gaviota hacia las oreadas y frescas costas.

Molesto le fue tener que comer pescado crudo y sin sal, pero el gozar de la brisa marina y poderse internar en la Antártida los días con más telegramas de calor, le compensó de todo.

Devuelto a su propio revestimiento de hombre cuando llegó la época del trastrueque, ya cerca del invierno, exclamaba suspirante: «¡Oh, cuando yo fui gaviota!»

ASOCIACIONES RARAS

He sabido de asociaciones extravagantes, como la de «Las mujeres sin arrugas» y la de «Los aprovechadores del tiempo», desahuciados por diez médicos, que se dedicaban a divertirse, contando con que sus días estaban contados; pero ninguna asociación más absurda que la de «Los que no cierran los paraguas cuando ha dejado de llover».

En esa increíble asociación se cazan los socios los días de lluvia y basta que un veterano vea a uno que no cierra el paraguas cuando ha cesado la lluvia para que lo siga, y si continúa así diez minutos —condición precisa, según el reglamento—, se le acerca y se le propone el honor de pertenecer a la caballeresca asociación.

LA LUNA PERDIDA

No había sucedido nunca eso porque la luna no puede perder tiempo ni detenerse, pues el amanecer marcha con pasos de gigante a un alborear fatal.

Sólo una vez estuvo en un baile de máscaras y después de bailar de lo lindo, hubo un momento en que quiso quedarse en la tierra y no hubiera vuelto a haber luna en el cielo.

Además es muy difícil convencer a la estrella que la guarda constantemente y que siempre está vigilándola muy de cerca.

Pero el caso es que una noche apareció olvidada en el lavabo de un *night club*, como esa sortija de carísimo brillante que a veces aparece perdida en el hueco para el jabón.

Como pasa también con esas sortijas de alto precio, alguien la ocultó bajo su gabán y se la llevó a su casa.

Una gran gratificación ofrecida por las autoridades, devolvió la luna a los astrónomos responsables, que la izaron al cielo como si fuese una cometa fosforescente.

EL AGUJERO EN LA SÁBANA

Por un agujero en la sábana se puede escapar el alma.

Hay unos hombres más propensos que otros a hacer agujeros en las sábanas, con lo irreparable que es un agujero en la sábana y cómo por ahí se puede desgarrar de un modo lamentable.

¿Quién ha hecho el agujero en la sábana? ¿El dedo gordo? Siempre se tiende a que ese dedo sea el culpable, pero no lo es. Ese agujero suele hacerlo el tiempo en el preciso minuto en que le corresponde revisar y dar por terminado el viaje de la sábana.

Lo más grave es cuando aparece en una sábana de hotel y se siente que es reciente la herida, que se nos podrá achacar al día siguiente.

En ese caso hay que levantarse y procurar conseguir por medio de la magia blanca que desaparezca el agujero, incurriendo en la simpleza por la que volviendo la sábana, se llega a creer que el agujero no estará por el otro lado.

No hay otro sistema que cambiar el orden de las sábanas y poner aplicada al colchón y con un fondo de pañuelo, si no no queda disimulado el agujero de la sábana que estaba arriba con categoría de cobertora.

Yo he conocido a un hombre rico, que tenía la desgracia de coincidir con agujeros en sábanas de hilo en los grandes hoteles y al que cargaban en la cuenta la indemnización por los agujeros.

MERMELADA MUSICAL

Es de las que saben hacer un flan en el que no entran los huevos y de las que ponen miel de desayuno y de las que emplean la zanahoria en mil fórmulas.

Como es profesora de piano y tiene pocas lecciones, se la ocurrió un día una idea genial: hará mermeladas de notas y teclas.

En los frascos sobrantes de la miel con sus abejas, que parecen notas musicales, va envasando el resultado de su química musical y pone una segunda etiqueta, que pone «Mermelada de teclas».

En realidad, la mermelada es de sustancias por el estilo, pero ella no quiere que se note lo poco sólido del producto y por eso ha preferido poner lo de teclas, apetitosas como moluscos.

El caso, según la profesora de piano, es embaucar y engatusar a las señoras, a las antiguas discípulas, a las viejas y las nuevas pianistas.

—Hago ahora una mermelada de teclas...

—¡Ah! ¿Sí? Que preciosura.

—Es muy baratita. ¿Cuántos frascos la envío?

—Envíeme dos. Para probar...

EL CIEGO QUE DESBANCÓ AL GRAN CASINO

Las ruletas vuelan en los caminos del verano y la pelotita mariposea sobre la gran flor de colores y se fija donde quiere.

Los calculadores, los que han descubierto una ley de las probabilidades para su uso interno, hacen posturas tímidas, toman notas y, por fin, se levantan y se van vacíos y cabizbajos.

Los que llegaron con el afán de vencer al banquero, ven como se sonríe distraído mientras rastrillea fichas y billetes.

De muy lejos he visto llegar a estos arbitristas, que han soñado largo tiempo con la hora feliz de hacer saltar la banca. Ninguno sale vencedor, pues lo primero que hacen es dudar del azar al suponerle servidor de sus combinaciones.

Sólo he visto a un ciego desbancar al Gran Casino.

El ciego ponía a tientas su dinero, sin consultar a nadie, sin papelito con logaritmos, tentando sólo al azar, golpeando a la suerte sin saber dónde la golpeaba, mezclado así al azar como si fuese el propio.

Desbancó, nada menos, que al Gran Casino, es verdad; pero al día siguiente, llevado por el mismo azar, perdió en limpio juego todo lo que había ganado el día anterior, tan ciegamente.

TRÁEME AGUA

La severa estatua yacente, envuelta rígidamente en su armadura de piedra, presentaba el tormento de su rigidez, imposibilitado el caballero del menor cambio de posición, recto como un espadín que descansaba a su lado.

Tumbado a sus pies y dulcificando la estirada postura del caballero, había esculpido un niño paje, que parecía esperar las órdenes de su señor.

El hidalgo yacente, una noche —llevaba yerto cuatro siglos—, levantó un poco la cabeza y dirigiéndose al paje con su voz cavernosa, le dijo:

—¡Tráeme agua!

Y en medio de la medrosa oscuridad del claustro en ruinas, se oyó el chirriar de la roldana del pozo y a poco le servía a su señor un poco de agua en su propia calavera, único vaso que encontró en el arquibanco del sepulcro entreabierto.

INCENDIO DEL CIRCO

El número de la bella y blanquísima sonámbula del pelo rojo era un número sensacional. No sólo por lo que hacía en la cuerda floja y en el trapecio, sino por cómo entraba y se iba, como si flamease el mejor gallardete del programa.

Miss intrépida, escalaba —y descalababa— rápidamente su puesto en lo alto y sólo concedía por unos momentos a los mortales su presencia, pisando con sus zapatillas de raso la tierra baja en que estaban sentados.

Y un día, al salir despavorida con pelo rojo inflamado, como una llama que huyese, se sintió en el fondo del circo

el rugir del incendio y el fuego descorrió las cortinas de
salida de los artistas, y todo el público corrió despavorido
hacia la salida, desgarrando la lona de la carpa.

UN COCHE EN LA NIEVE

Ya, como los círculos aristocráticos tienen automóviles
en vez de coches de caballos, me es difícil colocarles esta
anécdota, que aprovechando la ocasión voy a contar.

Salía yo una noche gélida y nevada del círculo de las
buenas chimeneas, casi al filo de la medianoche, cuando
ya se han ido todos, y vi en la penumbra que aún quedaba
un coche. Me lancé sobre él y cuando estuve dentro, noté
que alguien de desusada corpulencia estaba en el interior.
Era el caballo.

—Señor —me dijo con la voz que yo había supuesto
siempre que tendrían los caballos si hablasen—, ya no
podía más y arrancándome a los tirantes del tiro, aquí me
he metido.

—¿Y el cochero? —pregunté por preguntar algo.

—El cochero hace mucho rato que se fue a la taberna
más próxima. Que a él le abren la puerta y no al pobre
caballo.

Entonces comprendí que no había nada que hacer y ce-
rrando la portezuela, después de darle las buenas noches,
me fui andando.

¿QUIÉN PARECE?

Las millonarias norteamericanas son así.

La cosa sucedió en París.

Una noche en la Coupole, la rica naviera Celeste Armour
encontró un muchacho rubio, de esos que llevan *jersey* de
ciclista, y parándose frente a él exclamó interrogante: «¿A
quién se parece? ¿A quién me recuerda?»

El muchacho sonreía, dándola tiempo a consultar la guía
telefónica de su recuerdo, pero hubo un momento que quiso
seguir su camino.

—No, amigo —dijo ella, agarrándole por el brazo—; eso no. Usted se queda conmigo hasta que yo dé con el parecido.

Le sentó a su lado, pidió un *cocktail* a base de champaña y comenzó una conversación de palabras y consumaciones.

Después le propuso un secretariado sin nada que secretariar y viajes alrededor de los mundos hasta que diese con a quien se parecía, momento en que volvería a recobrar su libertad, y ella sufragaría todos sus gastos hasta que pudiese llegar a aquella terraza y sentarse otra vez junto a su enorme chubesquí ardiendo..., a no ser que le tocase volver en verano.

Los viajes y la vida suntuosa comenzaron, tomándolo todo a broma.

Sólo de vez en cuando, ella le miraba fijamente y se volvía a preguntar: «¿Pero a quién me recuerda usted?»

No daba con la sugerencia hasta que un día exclamó con gran júbilo, mientras el muchacho se ponía pálido:

—Ya sé a quién se parece..., se parece a usted mismo y es su mismo tipo.

Desde ese momento y ya sin inquietud el muchacho rubio, que ya no usaba chaleco de ciclista, se convirtió en el dueño de la fortuna de la gran naviera.

EL HOTEL MÁS USUARIO DEL MUNDO

La portería del hotel tenía el confinamiento de esos *halls* de hotel, llenos de un aire demasiado respirado por todo el mundo.

En las butacas establecidas en ese trecho, algunos señores cansados de viajar, como mareados, aburridos y asmáticos, eran lo más impertinente que se conoce en el mundo. Esas miradas displicentes desde las butacas comodísimas es lo que puedo aguantar menos en la vida. Los insultaría y los desafiaría a todos. Ninguno se da cuenta de que uno llega de viaje y por eso llega tan sucio y tan desgalichado. Todos sonríen al que llega como a un pordiosero y se burlan de los menores detalles del indumento. «¡No me iba a poner un traje nuevo para un viaje largo!», se les diría.

El conserje miró la lista de los cuartos vacíos y de los ocupados; esa lista de acomodación como la que miran ante el nuevo espectador los que ponen número a la localidad en los teatros de Francia.

—El cuarto dieciocho mil cuatrocientos cuarenta, en el piso ciento cuatro —le dijo al mozo que conducía mis maletas.

Después de un cuarto de hora de ascensor llegué al piso ciento cuatro y tomé posesión del cuarto dieciocho mil cuatrocientos cuarenta.

El hombre del ascensor esperaba a mi puerta.

—El ascensor es aparte —me dijo, y yo le di un billete para que me lo cambiase, pero él se despidió sin darme ni la vuelta ni las gracias. Indudablemente, encima, le había dejado de dar propina.

Cerré la puerta, metí la llave por dentro y volví a leer el número que colgaba de ella, y que era como el número de un premio a la lotería. Me miré al espejo de luna por reconocerme, para encontrarme, y recité el monólogo de los hoteles.

Por fin miré el cuadro impreso, en que se leían las condiciones del hotel.

Un sudor frío corrió por mi frente, leyendo aquel cuadro ignominioso y abusivo:

1.º No se podrá despedir la habitación sino con un año de anticipación, y aun así habrá que pagar medio año entero a partir del año siguiente al del aviso.

2.º El que use un cuarto tendrá que utilizar todos los servicios del hotel todos los días, barbero, manicura, pedicuro, limpiabotas, perfumista, planchador de pantalones, pagándoles al contado.

3.º No se podrá tocar el timbre sino en caso de estricta urgencia y necesidad perentoria, sufriendo el infractor de esta cláusula una multa, que tasará el dueño, según su leal saber y entender.

4.º Para comer en la habitación se necesitará un certificado del médico y deberá acompañar a la petición la ga-
rantía de una casa de banca.

5.º El que derrame la tinta en el suelo tendrá que pagar
el importe de un *parquet* nuevo, más una indemnización.

No seguí leyendo. Aquello era imposible. Perdería mis
equipajes y todo, pero yo me iba del hotel en aquel mismo
instante.

En efecto, después de decir al conserje que iba por los
bultos grandes, me escapé de aquel hotel, cuyas condiciones draconianas aún son mi pesadilla.

LA LLAMADA

Aquel papel se encarnizó conmigo. La noche estaba sola.
Los mismos serenos habían abierto un portal y se habían
metido en él.

En aquella soledad y en aquel oscurantismo, el papel
que me perseguía no era, como otras veces, ese papel que,
aunque nos persigue como un perro, se queda de pronto
en el remolino de los otros perros. Aquel papel me seguía
de un modo ruidoso, seco, con arranques que me asustaban
a ratos cuando ya me había olvidado de él.

A veces se retrasaba y parecía quedar muerto y aplastado
contra el suelo ; pero de nuevo, como si aquello no lo
hubiese hecho sino por descansar, salía en mi persecución.

¡Cómo «rodaba» aquella masa cuadrada! Las puntas de su
cuadrado eran como las patas que iba poniendo en el suelo,
e imitaban el salto cada vez que iniciaba una vuelta.

Iba preocupado por el papel y sus carreras, así como se
preocupa uno de la taba, a la que constantemente se da
con el pie y a la que se lleva muy lejos.

El danzarín papel relucía al pasar ante los faroles, y se
veía entonces que no era un pedazo de periódico, sino una
carta escrita.

Juro que, sobre todo al volver las esquinas y ver que el
papel volvía las esquinas, sentí lo sobrenatural que era

aquello. Aunque yo procuraba dar esquinazo al papel, el papel, como una bicicleta, daba las vueltas ceñidas y ágiles a las esquinas.

Fatigado, me senté en un banco público, y el papel, tirado y quieto, se quedó a mi lado. Parecía un papel que yo había dejado caer y olvidado a mis pies.

—¿Lo cojo? —me pregunté.

Pero yo, que soy enemigo de las supersticiones, no quería incurrir en la de creer que aquel papel decía algo, con sentido, dirigido a mí. Se reiría hasta el mismo papel de ver que yo buscaba en él alguna llamada o alusión.

Por fin, me incliné sobre el suelo y lo alcancé.

«Secuestrada hace veinte años ; hasta ahora no he podido pedir socorro de alguna manera.—*Isabel*.»

Ya me explicaba la insistencia del papel, que era el papel de la secuestrada hace veinte años, es decir, el papel que no tenía más remedio que buscar al salvador, el papel lleno de ansiedad, de angustia, de deseo de auxilio.

—Bueno... ¿Pero dónde? —me pregunté y pregunté disimuladamente al papel.

Nada. No me podía acordar dónde comenzó a seguirme el papel. Lo dejé en el suelo para ver si me guiaba de nuevo, pero una ley que no pueden contravenir los papeles es ir contra el viento. Por eso el papel se quedó quieto, pegándose al banco como una etiqueta de facturación al baúl en que la pegan.

Comencé a desandar el camino, y al cabo de un rato estaba completamente desorientado, y aunque de nuevo procuré orientarme, no pude encontrar el punto de origen en la partida del papel extraño. La pobre secuestrada de hacía veinte años, que no había podido pedir socorro nunca, ya no encontraría medio de poder lanzar un segundo papel y morirá secuestrada.

EL BANCO DEL BIEN Y DEL MAL

El banco se replegaba en la sombra y llamaba desde lejos.

—Anda, siéntate un ratito —decía al que pasaba, como ofreciéndole unas ancas frescas.

Nadie dejaba de mirar o de oir, al pasar, al banco disimulado.

Estaba frente a una tapia y bajo un árbol frondoso. Tenía sombra de sol y sombra de luna.

En la noche, sobre todo, su posición era inquietante y se pensaba: «Si alguna vez tuviésemos que buscar un lugar oculto donde sentarnos con la mujer que parece que se pone mala, de lánguida que se pone, buscaríamos ese banco.»

Siempre parecía habitado en la noche por la mujer con la mantilla de la noche, la mujer que tiene la cintura que estrechar, la pobre joven alocada y un poco epiléptica que quiere ser asesinada en la noche, abrumada con el conflicto espantoso de la perdición en medio de la noche sin soluciones.

La policía perseguía aquel banco, que era como una trampa que tenía preparada para coger a los incautos. ¡Cuántas veces fueron a la Comisaría las parejas por enredar en el banco escondido y peligroso!

Toda la estivalidad de la noche estival caía sobre aquel banco, y los días de tormenta caían del árbol, empapados por la tormenta, las brevas de la tormenta, esos frutos, como azucarillos blandos, que caen de la naturaleza después de la tormenta exuberante.

Las parejas caían rendidas, desfallecidas, deseosas de dormir el uno en el hombro del otro, y en esa postura eran pillados por la policía, que los empadronaba por escándalo público. ¿Escándalo público en aquel lugar tan perdido, tan oscuro, en que había que sentarse en el mismo banco y ponerse descaradamente a observar para saber lo que pasaba?

Si era eso escándalo público, siendo tan recatadamente realizado sin ninguna luz, sin luz de una luciérnaga siquiera, ¿qué escándalo no sería el que levantan en la noche esas mujeres que se desnudan con el balcón abierto en las casas que no tienen delante vecindad o están tan altos sus pisos, que es como si no la tuviesen? Mientras no vea nadie una cosa u otra, las dos cosas distintas, pero iguales, son enteramente inocentes.

Así como sería absurda la detención de esos matrimonios que juegan tranquilamente, frente a la noche oscura y sin ojos vecinos, en las habitaciones iluminadas, así lo era la detención de los que jugaban en el banco de aquella esquina muerta, oscura e inadvertida de la ciudad.

Ya en la Comisaría, el comisario estaba escandalizado. ¿Cómo podían incurrir en el mismo pecado, en aquel mismo sitio, tan numerosas parejas?

Consultó con la superioridad: «¿Se debe quitar el banco que hay en el paseo de Diana en vista de los escándalos que produce?»

La superioridad contestó: «Estúdiese el sitio, el clima y el banco por los técnicos municipales.»

Los técnicos municipales, que cobran grandes sueldos por cuidar los bancos y por contarlos todos los días por si se han llevado alguno, estudiaron el banco de referencia y recordaron que yendo con sus novias, al pasar por allí, también incurrieron en lo mismo, dominados por el banco, empujados sobre él para que se les cerrasen las articulaciones en la forma que toman los que están sentados.

Por fin, el banco fue arrancado de su sitio y fue llevado al Centro de Estudios Históricos, Arqueológicos y Geológicos. Allí, todos a su alrededor, como los alumnos de Medicina en los quirófanos, estudiaron el banco.

La Comisión dictaminadora escribió por fin su fallo, y en él se decía que aquel banco «debía estar fabricado indudablemente con madera del árbol del bien y del mal» y, por lo tanto, había que quemarlo y guardar sus cenizas en un frasco del museo, que es donde no salen ya las cosas para fructificar de nuevo.

EL BURRO ZANCÓN

Recuerdo mi entrada buscando algo en un corral, ya tarde, cuando había oscurecido, en aquel pueblo de Castilla.

Había pisado las piedras puntiagudas, los morrillos puntiagudos, que son los que más sensación de la realidad me han dado en la realidad, y fui a aquella casa a buscar a Lucio, un criado patudo, al que le salía perilla de chivo por toda la sotabarba.

—Espera un poco que eche de comer a los animales... Es su hora...

El burro gris, zancudo, de Lucio estaba sentado como después he visto que Goya pintó sentados a los burros, y a la luz del farol vi que escribía... ¿Qué escribía?... Me acerqué y vi que escribía: «El Quijote.—Tercera parte»...

Eso es lo que yo recuerdo confusamente, apareciéndoseme aquel corral a esa hora, en que las bestias son personas porque la fuerza de la realidad permite una cosa así... Sospecho que aquella tercera parte del Quijote debía estar bien de realidad, además de escrita en el mejor y más puro de los castellanos, en el castellano del rebuzno, que es el más denso y sesudo.

EL GANCHO DEL PLAFÓN

He aquí el relato de un suicida:

«En el plafón, sobre nuestras cabezas, se veía el gancho dispuesto. En su sombra, sobre el techo, imitaba otro gancho.

»¡Cómo pedía una araña ese gancho!

»No me dejaba dormir su petición en la casa deshabitada, donde sólo había dos camas muy pobres.

»Ese dedo retorcido y esperanzado del techo me pedía de tal modo una araña, que me hacía pensar en ser rico o en, aun siendo pobre, comprar una gran lámpara para colgarla de allí.

»La habitación era baja de techo, y eso me hacía ver con claridad el gancho retorcido, que pedía con gran desconsideración una lámpara, como uno de esos hijos insensatos que creen que su padre les puede dar lo que no tiene.

»—¡Pues todos los demás ganchos de plafón tienen lámpara! —me pareció que contestaba con impertinencia, faltando descaradamente a la verdad, porque hay numerosos plafones más tristes y con el gancho tan vacío.

»Preocupado por el gancho de dedo encogido, quise quitarlo, y para eso comencé a darle vueltas, sirviéndome del hierro de la estufa como palanqueta.

»Logré sacar un buen pedazo de esa «solitaria» de los techos, pero hubo un momento en que su cuello espiralado no quiso seguir saliendo.

»Desengañado, triste, con la mirada perdida en lo alto, he pasado muchos días, en que me parecía lo más enorme de mi carestía no poder comprar el gran farol o la lacrimosa araña para el gancho sobrecogido.

»—Tú eres responsable —me decía a veces el gancho— de que mi destino quede incumplido... Yo, que soy capaz de sostener los pesos más formidables y que estoy ansioso de ello, tengo que soportar mi inacción por el largo alquiler a que tú has sometido este piso...

»Por todo eso, hoy, que ha llegado a ser irresistible la contemplación del gancho, y para cumplir su cometido, para que sostenga por fin ese gran peso que espera, yo me ahorcaré de él...»

En efecto: péndulo, holgazán, sin rotación, apareció colgado del plafón el pobre obsesionado.

YO VI MATAR A AQUELLA MUJER

En la habitación iluminada de aquel piso vi matar a aquella mujer.

El que la mató, le dio veinte puñaladas, que la dejaron convertida en un palillero.

Yo grité. Vinieron los guardias.

Mandaron abrir la puerta en nombre de la ley, y nos abrió el mismo asesino, al que señalé a los guardias diciendo:

—Éste ha sido.

Los guardias lo esposaron y entramos en la sala del crimen. La sala estaba vacía, sin una mancha de sangre siquiera.

En la casa no había rastro de nada, y además no había tenido tiempo de ninguna ocultación esmerada.

Ya me iba, cuando miré por último a la habitación del crimen, y vi en el pavimento del espejo del armario de luna que estaba la muerta, tirada como en la fotografía de todos los sucesos, enseñando las ligas de recién casada con la muerte...

—Vean ustedes —dije a los guardias—. Vean... El asesino la ha tirado al espejo, al trasmundo.

LA MARIPOSA ÚNICA

La escofendra excepcional era una mariposa de la que no existía más que un ejemplar en la colección de Rodolfo Rothschild, pero don Rodolfo recibió un radiograma del Brasil, diciéndole que había sido capturada otra escofendra excepcional.

Don Rodolfo cogió un avión y apareció en Río Janeiro, dispuesto a adquirir ese segundo ejemplar maravilloso.

Diez mil dólares le costó, pero los pagó en un solo cheque.

En el Gran Hotel, y ante el asombro de todas las damas y caballeros que había en el salón de fiestas, don Rodolfo Rothschild presentó aquella mariposa, en que parecían mezclarse los matices exquisitos del crepúsculo matutino con los del crepúsculo vespertino.

Pero más se asombraron todos cuando don Rodolfo colocó la mariposa entre sus manos y frotando una contra otra, disolvió sus alas y dejó caer sobre la alfombra un polvillo sutil y casi impalpable.

—¿Pero qué ha hecho? —le preguntó la dama que sabe el valor de las cosas.

—Nada... —respondió él—, que un segundo ejemplar de tan única mariposa, eclipsaba su valor... Desde esta noche vuelve a no haber en el mundo más que una escofendra excepcional...

Un ¡oh! grande, como la claraboya de cristales del jardín de invierno, epilogó las palabras del millonario impenitente.

EL MARINERO Y ÉL MISMO

Una vez, el veterano marinero se encontró en el puerto Tin-Sin, de la China, con el «él» mismo del primer viaje.

Se saludaron en la taberna, donde estuvo por primera vez hacía veinticinco años, y sostuvieron un diálogo cordial y extraño.

—Estás envejecido.

—Y tú tan joven como entonces.

—Porque me quedé aquí... No hay nada que envejezca tanto como los viajes.

—Es verdad... No se puede ser marinero del mismo barco durante tantos años... Es inútil ir al mismo sitio, sabiendo que se ha de volver indefectiblemente por el mismo camino.

Bebían y bebían como festejando la más estrecha amistad reencontrada.

Al final, en los espejos de un camarote, donde se veía repetido como si fuese el hermano siamés de la borrachera, achacó a la bebida el encuentro con el «él mismo» del primer viaje.

LA CABELLERA DE LA SOMBRA

En la oscuridad sentí una cabellera, una larga cabellera... No quise ni encender, ni espantarla...

Quise cazar aquella cabeza a la que pertenecía la cabellera y saqué mi peine de bolsillo para convencer al cabello con esa caricia del peinado, que convence a todas las cabelleras.

Eran sedosos y vivos los cabellos —juro que no eran los de ninguna muerta—, y aunque avancé sigiloso por las galerías oscuras sin dejar de peinar los oleosos cabellos, no encontraba la cabeza buscada.

¡Qué larga cabellera! Cola como de vestido, que daba vueltas a las habitaciones, aunque su dueña estuviese muy lejos.

Era una cosa de la realidad con algo de ilusión. Me acerqué los cabellos, como quien se acerca una flor para cloroformizarse de perfume, y percibí el olor humano de los cabellos, con un remoto recuerdo lanar...

Jugándome el todo por el todo, dejé la cabellera y encendí la luz.

Nada.

Pero había tenido la voluptuosidad de tener en mis manos la incentiva cabellera de la oscuridad.

LA TIENDA IDEAL

Me lo dijo un amigo y no quería creerlo, pero entré en las camiserías de los «céfiros» soñados y me encargué dos docenas de camisas.

—¿Adónde enviamos la factura?

—Yo soy de los que no reciben las facturas.

—¡Ah! Usted perdone... Está bien...

Desde entonces me encargo las camisas en esa hermosa tienda, que pasa las facturas de los incobrables a esos señores que pagan las cuentas sin mirarlas.

—¿Pero cómo es posible que eso pueda hacerse? —le pregunté con confianza al dueño, cuando ya éramos íntimos en las risas y comentarios.

—El secreto del comercio —me dijo el magnífico camisero— es el cobrar las facturas no importa a quién... Lo malo es empeñarse en cobrar a los que no pueden pagar... Usted tiene el buen gusto de lucir mis camisas, comprende

lo que valen, las sabe lucir ; pues bien, yo las cargo senci-
llamente en la cuenta del que probablemente es un inconsciente del color y de la forma, y él las paga.

EL PESCADOR DE LÁPICES

Los pescadores tienen tan gran reserva que no se sabe
si pescan ni qué pescan.

La intimidad que da el pertenecer a un círculo de caza
y pesca hace que se obtengan confidencias interesantísimas.

Jugando al tresillo sobre praderas verdes con pocitos de
metal, llegué a conseguir del más silencioso de los pescadores una referencia a lo que solía pescar en sus largas
esperas de pescador con caña.

—¡Lápices!

—¿Pero qué clase de lápices?

—Lápices de todas clases... Es curioso: echo el anzuelo, y al cabo de un rato sale un lápiz de bolsillo, de pupitre
para el teléfono y algunas veces de esos que escriben azul
por un lado y rojo por el otro.

Después de la declaración profesional recibí el regalo
de una caja de lápices de todas clases.

Los pescadores son así. Cuando hablan de lo que pescan
y se les oye con atención admirativa, envían la pesca del
domingo siguiente al que les aguantó la lata de sus aventuras.

HEROICIDAD DE LOS TULIPANES

Sucedió en Holanda cuando se rompieron las esclusas en
la entrada de la primavera.

El agua intentó arrasar el bello pueblo de Albarasé, donde
crecen los más bellos tulipanes del mundo, los que más
valor adquieren en la Bolsa de los tulipanes.

Entonces los tulipanes de cabeza encapullada y tallo largo
se crecieron, se espesaron, se tramaron como una empalizada, se trenzaron, juntaron sus fuerzas de color y evitaron
la inundación.

Fue un rasgo valiente, heroico, como no se conoce otro en la historia, pero es que los tulipanes tienen cabeza de holandesa, secreto instinto, alegría solidaria y sentimientos patrióticos.

EL MILAGRO DEL RASTRO

Los sordos van buscando algo por el Rastro.

Se nota que no son cortos de vista, pero hay algo en ellos que denota que son sordos. Una manera especial de acercarse a los objetos.

Buscan la trompetilla ideal, y ellos saben qué aparato entre los aparatos es para el oído.

Estando cerca de uno de esos sordos, sordo como una tapia, vi que se acercaba al oído una especie de caracol de plata y se lo ponía en el oído. ¡Qué cara de satisfacción! ¡Oía, oía por primera vez en su vida!

—Caballero, dígame algo, por favor; cualquier cosa.

Y para comprobar el milagro, yo le dije en voz baja: «Buenas tardes.»

—Muchas gracias... Nunca le agradeceré bastante, ni me olvidaré de esas «buenas tardes».

EL TIEMPO CIEGO

Hay una experiencia que hacer con un reloj de pared: la que se vea moverse el péndulo sin hora. Para eso se le quitan las manillas al reloj y queda su marcha ciega, sin obligaciones ni compromisos.

Camina el tiempo ciego por donde quiere, marca sus pasos sin llevar cuidado por donde va. Deja de ser primero de mes y de agravarse la hora de la comida.

Es un reloj benévolo que marca eternidad.

Es algo diferente a esos relojes que marcan la hora y repiten las campanadas de las horas dos veces.

¡Guay si con esos relojes no está la comida a la hora en punto!

Son los relojes que más temen las cocineras.

EL ESTUARIO

Parecía un recodo de truchas donde se guarecían las más movibles, las más temblantes.

Todo tenía algo de estanque natural y había palmeras de agua, que parecían juegos de agua disecados.

Caballeros hipócritas se reunían con las damas en casitas que había debajo del agua y que tenían puertas de cristal y de luz, que se abrían gracias a un mecanismo de aire densificado.

Todo iba bien hasta que un día, al cabo de algunos meses, comenzaron a aparecer niños en el agua, joviales niños nadadores, que sorprendieron a todo el mundo.

Las damas piscineras habían desovado las truchas entre las rocas artificiales del estuario y había aparecido al cabo por otro procedimiento que el antiguo la cría fatal.

Aquellos hijos de ninguna madre, sin posible reconocimiento, hicieron que la policía clausurase el estuario y llevase a la Casa de Maternidad una promoción de cien niños.

EL GONG DE BUDA EL VIEJO

Los ejércitos rojos de la China comenzaron a ganar batallas.

Los espías no señalaban mayor armamento que el que ya se sabía que poseían, y eso hacía más extrañas las victorias.

¿A qué se debía su avance incontrovertible?

Ta-Li-Ka había desposeído a Buda el viejo, el más venerado de todos los Budas, del gong sagrado, el gong misterioso que tenía la más rara seducción sobre las almas sobrecogidas de los chinos.

Al son del gran pandéro de metal congregaba ejércitos innumerables, verdaderas vallas humanas, que le servían para ir avanzando frente a la feroz acometida de las ametralladoras.

O hay que tener balas o hay que tener un medio de ago-
tar las balas del enemigo, y Ta-Li-Ka agotaba el metraje
del film de las ametralladoras y volvía a tocar su gong
cautivante para reponer las vanguardias.

SEPULCRO CIRCULANTE

... El millonario Castor ha dejado parte de su enorme
fortuna para que sus restos viajen constantemente de cementerio en cementerio.

Los albaceas han sido dotados espléndidamente para
que dispongan las traslaciones consecutivas según un mapa
de enterramientos que ha dejado trazado Castor.

Su sepulcro ha de estar un año en el cementerio de
Génova, después pasar una temporada en el feliz cementerio de Neja, después en el Père Lachaise, más tarde en
Barcelona, después en Madrid, después en el cementerio
Los Placeres, de Lisboa, que lleva ese nombre paradó-
jico por como domina el más bello panorama, y así suce-
sivamente en América, junto a Edgar Poe, en los cementerios silentes y dulces de Centroamérica, en el de Buenos
Aires, y por fin quiere acabar en el cementerio de Atenas.

Durante los viajes que realizó en vida fue adquiriendo
panteones a perpetuidad en todos los cementerios del mundo, y sostenía ante sus amigos que en cuanto hiciese el
último de sus panteones moriría.

No le sirvió la estratagema, porque dedicado al que se
estaba construyendo en Nicea, le ha sorprendido la muerte.

LA MESA DE MÁRMOL NEGRO

Habían heredado aquella mesa redonda de mármol negro, y cuando se tiene una mesa así no hay medio de
echarla de la casa. Es ella la que echará a todos los in-
quilinos.

Ponía de luto todo el hotelito y tenía la culpa de todas
las desgracias.

Era pesada y tenía una losa de reloj de la muerte.

Provocaba todos los pésames y obligaba a las visitas a hablar solemnemente.

Todos sospechaban de aquella rueda de la desgracia, pero no se atrevían a hacerla rodar fuera de la casa. Eso hubiera bastado para señalar la hora de nuevos óbitos vengatorios.

La única manera de salir de la terrible mesa fue vender el hotel con todos los muebles que tenía dentro y hacer un viaje por Europa.

TEATRO DE LOCOS

Al director del Manicomio Central de Nueva York se le ocurrió una manera de resarcirse del enorme gasto que supone al Estado el sostener los manicomios del departamento neoyorquino, que ascienden a setenta y tres mil, lo cual representa un trescientos cincuenta por ciento (?) sobre los que había el año pasado.

Dicho director acaba de inaugurar un teatro de locos que ha tenido un éxito enorme, pues como se han elegido los más geniales locos y se les ha dado los papeles que mejor iban a sus manías y obsesiones, las obras toman un carácter extraño y admirable de veracidad.

El repertorio está formado por obras inéditas de los locos y por las obras de más exaltación dramática del repertorio universal, notándose ahora que los grandes protagonistas de las obras dramáticas siempre estaban un poco locos.

EN LA EMBAJADA DE EGIPTO

En la recepción dada por el embajador de Egipto se presentó a última hora una dama que parecía vestir a la moda actual, esbelta, ceñida de sedas, con el peinado apretado al óvalo del rostro.

Nadie sabía quién pudiese ser la gallarda dama de porte tan distinguido, y sólo cuando se fue, al ver la salida de baile que los criados echaron sobre sus hombros, y que era un ropaje lleno de jeroglíficos, se pudo comprender que era una momia egipcia que había asistido con perfecto derecho a la recepción de la embajada de su país.

MÉDICO NUEVO

Cuando llegó el médico extraordinario al hospital lleno de verjas traía una atroz fama de loco.

—Supóngase usted —decía uno de sus enemigos a uno de los internos— que durante todo el viaje ha venido tirando recetas por la ventanilla del tren.

—¿Y qué explicación daba a eso? —preguntó el interno.

—Que había que sembrar la curación por los campos como se siembra el trigo en los surcos.

El médico nuevo, que siempre lucía en su rostro una expresión franca y abierta, vivió con aspecto tétrico aquellos primeros días de su dirección del hospital.

—¿Qué pensará hacer? —se preguntaban todos.

Hasta que un día la expresión del doctor nuevo cambió radicalmente y con aire de libertador hizo que quitasen todas las rejas de las ventanas.

A los pocos días el hospital estaba casi deshabitado. Aquella medida de suprimir en él lo que a todos los hospitales les da tono de cárcel de enfermos, hizo que se curasen casi todos sus incurables y que saliesen a la calle dados de alta, mezclando un aire de domingo al aire del martes que era.

LA MOSCA ANTIGUA

En aquel interior recatado y reconfortante pudo vivir durante diez años una mosca, la mosca siempre sin nombre, porque no es posible poner mote a una mosca por muchos años que se la tenga al lado.

La mosca inconcebible de hacía diez años hablaba, musitaba cosas ya en clara letra, iba leyendo los libros línea tras línea, letra por letra, como lee con su lenta lupa el erudito cansado.

CONCRETO-ESPÍRITU

Todos habrán puesto del revés este título y lo habrán releído «espíritu concreto», pero, por el contrario, se trata del «concreto-espíritu».

Los «concretos», como se sabe, son elementos de construcción en que entra el cemento. Y hay desde el «concreto-sidéreo», que fue el que utilizó Dios, hasta el «concreto de hielo», en que entra de componente el agua helada, la nieve misma, la que después, evaporada por el calor, deja una especie de ladrillo poroso que tiene grandes ventajas.

Mi «concreto» es un concreto irreal, un «concreto» en que entrara como componente el espíritu y que sin poder dar la fórmula exacta de en qué consiste, puedo asegurar que toda obra que no esté edificada con él será una obra inconsistente y frágil.

No es propiamente cemento eso que yo preconizo, sino algo más ligero, que eterniza las páginas que se escriben, escríbanse como se quiera.

El «concreto-espíritu» es el material literario que no se agrietará en los terremotos y del que dependerá que en las subversiones retóricas más radicales, la obra en que entró dé dos vueltas de campana y vuelva a quedar en pie sin desmoronarse.

¡Emplead concreto-espíritu!

LA ESTATUA INESPERADA

No se supo nunca por qué había brotado aquella estatua en el jardín.

El caso fue que una mañana se encontraron con ella, quieta en el gesto hipócrita de las estatuas, sobre un pedestal de haber estado allí toda la vida.

Se hicieron indagaciones, se preguntó en diez leguas a la redonda. Nadie sabía nada.

Sólo el que todo lo explica de alguna manera opinó que aquél debía de ser un fantasma, que había vuelto la cabeza o había hecho algo prohibido por la ley y se había quedado convertido en estatua de piedra.

LA MECANÓGRAFA Y EL MECANÓGRAFO

Se casó la mecanógrafa más multipalabrera en las copias con el mecanógrafo, tan multitecleador como ella.

Entre miles de besos con que compensaban su ausencia de todo el día imprimiendo palabras, fue creándose el niño que iba a coronar aquella unión.

El niño era nervioso, hasta un poco epiléptico, y en cuanto recibió el pecho de su madre comenzó a tictaquear sobre él con sus deditos informes, y de vez en cuando trasladaba el seno izquierdo al lado derecho de la madre, como si moviese el carro de la máquina.

EL PAÑUELO DE LUNARES

No quería ir al médico aunque tenía una feroz aprensión a estar tuberculosa.

Para deshacer su miedo y el mío, un día le llevé al doctor un pañuelo suyo.

El doctor lo observó y comprobó que no tenía el bacilo temido.

—¿Y mi pañuelo de lunares?

—Lo llevé al médico para que estudiase lo que pudiera haber en los lunares, y el resultado ha sido nulo. ¡No tienes nada!

Entonces ella cometió una injusticia de mujer, y lloró desesperada:

—¡Mi pañuelo de lunares! ¡Mi pañuelo de lunares!

EL BANCO QUE TIEMBLA

Aquel caballero había fracasado en todas las especulaciones y ya no lo dejaban entrar en la Bolsa porque hacía mal de ojo a los valores.

De todas maneras sentía en sí mismo una vocación especial por el mundo de los negocios, como si en su alma hubiese una facultad misteriosa para apreciar los misterios bancarios.

Fantasma de los alrededores de los grandes bancos, se paraba a leer las cotizaciones como si jugase algo en su lotería.

Así en esa expectación desinteresada llegó a darse cuenta de que tenía una extraña sensibilidad para ver oscilar los bancos, viéndoles temblar entre dos luces.

El fracasado en las jugadas directas especuló con aquella doble vista que le permitía saber antes de que quebraran los bancos.

UN REY ANTIGUO QUE RESUCITA

El panteón de reyes había llegado ya a estar dotado de la frialdad penetrante en que no se corrompen las carnes.

Alguna vez se había abierto la caja de algún rey fallecido hacía mucho tiempo y se le había encontrado intacto, hasta sonrosado y con aspecto de buena salud.

En el frío panteón los vivos se quedaban como muertos y congelados y los muertos se sentían saturados de una vida inmóvil, pero encarnada en sus tejidos humanos.

Era como una sala del sanatorio de los muertos aquella sala frigorífica, por la que pasaba siempre la cascada de las aguas más finas.

Y un día sucedió que el rey Abdón V se evadió de su féretro animado por su antigua vida, porque, enterrado después de un ataque de catalepsia que no supieron diagnosticar sus médicos, el gran frío de la cripta había mantenido incorrupto su corazón, hasta que en aquel día de agosto en que perdió frialdad la temperatura helada del panteón, el buen rey Abdón V se sintió despertar.

En la corte le quisieron detener ; pero él buscó un buen abogado republicano que le defendiese y destronó ante los Tribunales Supremos de Justicia a Abdón XXI, dándose el caso del mayor salto atrás que se conoce en la historia, pues Abdón V reinó después de Abdón XXI.

EL GRAN FASCINADOR

El magnetizador de más cartel del mundo, que ha dado el mayor de los prestigios a su seudónimo de «Nabucodonosor», llevaba siempre detrás a un débil caballero particular que no se podía desprender de su influencia. Es con el que hacía las experiencias más difíciles y al que esperaba cuando lanzaba su proposición más peligrosa.

—¿Hay quien quiera pasar la cabeza por el agujero de la guillotina y ser guillotinado?...

Nunca faltó a sus funciones. Iba en el último vagón de los trenes que él tomaba, y siempre por cuenta propia y sin conversar con él fuera del espectáculo y hasta sin querer influirle.

Aquel caballero débil quería huir, hubiera querido no volver a ver a «Nabucodonosor» ; pero era el caso que desde los carteles le atraía.

Cuando el caballero débil se iba diciendo «ya no volveré a entrar en su teatro... ya no volveré a entrar en su teatro... ya no volveré a entrar en su teatro», tropezaba con uno de esos carteles que «Nabucodonosor» fijaba en todas las esquinas de la ciudad, exagerada la proporción de su frente y la intensidad de su mirada en una cabeza de tamaño doble que el natural, y el pobre caballero débil quedaba sugestionado y buscaba el teatro en que actuaba «Nabucodonosor», tomando su butaca de primera fila en contaduría. ¡Ya le magnetizaba sólo el cartel! Realmente, «Nabucodonosor» no tenía ninguna culpa.

Tanto, que hasta llegó a cansarse «Nabucodonosor» de aquella insistencia, pues ya todos los públicos creyeron en una superchería y en un compinchamiento al llegar a conocer demasiado al pobre caballerete. «Nabucodonosor», entonces, un día se comió el alma de su corderillo inevitable, en el hotel en que paraban juntos, a la vista de todos, después de mondar una manzana haciendo brillar mucho el cuchillo, quedándose jugando con él durante mucho rato como si mondase algo invisible...

Nadie volvió ya a ver nunca jamás subir al escenario a aquel caballero débil y pusilánime.

AQUEL PITIDO DE TREN

Oímos todos aquel pitido de tren. Traspasó toda la ciudad, entró por las chimeneas y las rendijas de los balcones y se paró un momento en el aire.

Además de despedirse de sus familias, ya desprendidas del tren en el andén porque el convoy iba a echar a andar, se despedían de los que estábamos tan lejos de la estación trabajando distraídos en los despachos en que sólo se oye la marcha del tren del reloj.

Aquel pitido de tren conmovió como nunca a los que están sentenciados a cadena perpetua y sonó en todas las llaves de todos los llaveros como en una sutil imitación sentimental de la gran llave de la locomotora.

Se quedó vibrando en la habitación aquel pitido aleteando en el fondo de algún búcaro o estacionándose en el fondo de las pantallas invertidas como esos moscardones que se ahogan en los tazones de luz.

Cuando llegó ella de la calle con la punta de la nariz morada de frío —la punta de la nariz que yo calentaba hundiéndola en mi mejilla—, me preguntó:

—¿Pero qué tienes?

—Nada... Un pitido de tren que se me ha metido hasta el fondo del alma y me suena en los oídos...

Toda la noche recordé el pitido del atardecer que había llegado a mí con la ondulación con que llegan a los que viven debajo del agua las campanas marinas.

Por la mañana, al abrir el periódico, leí:

CATÁSTROFE FERROVIARIA

Cincuenta muertos y más de cien heridos

¡Había sido aquel pitido el pitido del presentimiento, el pitido de la despedida definitiva del tren!

SOLISTA DE TROMPETA

Hacía filigranas con su trompeta y avivaba a las gentes como arrebatándolas con aires marciales olvidados.

Un gran concierto a su beneficio lo puso en el pináculo del éxito, pero cuando acabó aquel sostenido trompeteril y mientras la multitud lo hacía objeto de la mayor de las ovaciones, el gran trompetista cayó muerto.

Lo maravilloso de aquella nota larga y sostenida que había entusiasmado a todos, es que había estado alentada por su último suspiro.

LA CAJA DEL VIOLÍN

Ha servido la caja del violín en mano de un niño —un mayor lo explotaba— para llevar objetos robados —llamadores de bronce— y tantas veces pasaba llevando la pesada caja, que desconfiaron de él y lo descubrieron.

Ha servido la caja del violín para que sorpresivos *gangsters* la abriesen en la sala del *dancing* y saliesen a relucir las armas de fuego con su rollo de película mortífera.

Pero la caja de violín de uso inefable, callada como una cuna cerrada, fue la de aquella señorita un poco renga que pasaba con ella hacia lejanos conservatorios y sólo paseaba en su fondo ropa de niño, gorritos, mamelucos de bebé para la aviación en nubes angélicas y entre todo eso una cabeza de porcelana de una muñeca de otro tiempo.

En aquel exhibicionismo llevando colgada la caja del violín como cajón negro de los sueños frustrados, había una maternidad desesperada.

EL PLANTE DE LOS GIRASOLES

Como una mulatería empecinada los girasoles comenzaron a gritar su rebelión. Sostenían con su cara de soles negros que no podían ser explotados.

Sus cabezas fanáticas e insoladas decían que no querían ser cosechados, que querían seguir tomando el sol, sin hacer nada, sin prestar sus semillitas ni al hombre ni a sus industrias.

Hubo que emplear las ametralladoras y cayeron desparramados y desgranados sus granujientos y carillenos rostros.

Así se ensemillaron de tal modo los campos de la refriega que la nueva cosecha resultó centuplicada, magnífica.

ALMA DE URGENCIA

En el sueño preambular al nacimiento de su hijo —más que sueño, pesadilla— la madre oyó que el niño no tenía alma preparada para el caso por que el padre era un desalmado que había desaparecido.

—¿Saldrá muerto? ¡No, por Dios! Aceptad mi alma para él.

Algo se conmovió en las alturas con aquellos gritos de la madre ensoñarada y delirante y cuando la operación fue llegada se fraguó el cambio, pero la madre no sobrevivió a la aparición de aquella criatura del género masculino pero que llevaría toda la vida alma femenina.

DENTRO DE UN RECEPTOR

No sabían qué hacer y se metieron en el receptor de radio pareciéndoles más discreto ese cobijo que cualquier otro recreo del domingo.

Había atmósfera de estación a la que llegaban y llegaban trenes.

—Aquí no nos podrán encontrar.

—No, pierde cuidado.

—Está templado.

—¿Qué dice tu onda? —preguntó ella.

—¿Que qué dice mi onda? Pues dice: «¿La quieres por esposa?»

—¿Y tú qué contestas?

—Que sí, naturalmente, y así hemos sido los primeros que han recibido la bendición matrimonial por radio.

Rieron.

En eso el receptor comenzó a hacer ruidos extraños y su propietario lo apagó.

Entonces salieron de allí los dos prófugos del domingo y así acabó su experiencia en la capilla radiofónica.

EL VENTRÍLOCUO Y EL LORO

El ventrílocuo lleva un loro en la barriga y ese loro habla con él y como fuera de él cuando el artista quiere.

Van Loo aprovechando esa condición de los ventrílocuos hacía un número de circo en que presentaba una caja ochavada cuyas ocho puertas abría para demostrar que no había nada dentro, comenzaba su diálogo y peroraba con un supuesto loro.

El número tenía un gran éxito, pero un día falló porque el ventrílocuo se murió.

La esposa del artista que sabía que su marido no sabía nada de ventriloquía y todo lo lograba gracias a aquel loro de su propiedad que era el que hablaba, replicaba y protestaba muy bien disimulado debajo de la caja ochavada, pensó que ella podría repetir las experiencias pero lo consultó con el loro:

—¿Querrías trabajar conmigo como trabajabas con mi marido?

—Sí, pero si vamos a medias en las ganancias —replicó el loro.

Así se convino y en la noche del circo la ventrílocua y el loro misterioso recibieron grandes ovaciones.

LA BOTELLA DEL BAUTIZO

Estaba alegre enarbolando una botella de champaña con cintas de colores.

Los invitados de sombrero de copa y las invitadas con sus pamelas de inauguración, bullían alrededor de ella.

Era emocionante y peligrosa su misión.

—¿Ya?

—Ya.

Rompió la botella contra el casco pero se hirió la mano.

—No es nada, no es nada...

Pero se infectó la herida y entró en ese delirio del que es tan posible salir como no salir.

Se veía con su traje de flores, su sombrero de rosas, enarbolando el puñal de cristales con sus cintas abanderadas.

Y se la vio irse por una rampa de barco recién botado, patinando desgobernada hacia los mares del más allá.

ENVUELTA EN TELAS DE ARAÑA

Todo traje de mujer me sabía ya a impureza.

Por eso cuando llegó a mí —había sentido sus pasos bajando de las buhardillas— la mujer envuelta en toquilla y pelerinas de telaraña, me quedé deslumbrado.

Sonreía como si supiese que me iba a encantar el espectáculo.

La abracé enloquecido un poco por la atracción de su cándida belleza y otro poco porque quería encontrar el mullido suave como ninguna piel por cibelina que fuese, de las telarañas apelmazadas, envueltas unas en otras y sin hacer demasiado bulto.

Lo malo era que se desgarraban al tropezar con ellas, pero como eran muchas sus napas, quedaban las bastantes para resguardarla.

—Y tengo muchas más colgadas de repuesto —dijo ella como contestando al problema que me acongojaba.

La miré separándome de ella como si de pronto me poseyese un respeto inviolable al pensar que su camisa era la última tiritaña de las telarañas y debía ser muy larga mi ternura antes de llegar a esa última prenda.

REUNIÓN DE PAVOS REALES

Se habían reunido en la terraza muchos pavos reales. El jardín abandonado parecía haber sacado sus abanicos, sus joyas y sus trajes de brocado.

¿Los pavos reales celebraban su congreso último? El caso es que se habían reunido para deliberar si debía persistir su guardia inútil, engalanados para fiestas que no iban a volver a suceder.

—Debemos ser el último límite entre lo que hubo y lo que no volverá nunca... Tenemos que desaparecer.

—Si eliminamos las pavas seremos los últimos representantes de la principalía del paraíso.

Y comenzó la matanza de las pavas y ya no nació en vista de eso ningún pavo real.

EL PÚLPITO DE LA RETÓRICA

Lo que había que enseñar en aquella iglesia era el púlpito. Era la joya de la gran nave. Todo lo demás era pobre, desdichado, pequeñito, de tal modo, que parecía la

iglesia, con magnífica nave de catedral, una iglesia des-
mantelada, desvestida, sin retablos.

—¡Ah! No se puede usted ir sin ver el púlpito de San
Andrés —decían los del pueblo al forastero, y lo conducían
a la iglesia, enorme y pobre, mostrándole con el índice,
admirativo y apasionado, el púlpito magnífico, lleno de
filigranas en hierro repujado y en plata.

Esos hombres inspirados que bautizan todas las cosas
con una sola frase le habían llamado «el cáliz de la elocuencia», porque sobre sus repujados y sobre su traza admirable estaba que en ese púlpito se habían lanzado los
más bellos sermones. Todo el pueblo recordaba la fluidez
de los discursos que el día de la fiesta del patrón del pueblo habían brotado de aquella joya, que pertenecía tanto
a la orfebrería como a la arquitectura.

El dosel y tornavoz del púlpito completaba su encanto.
Era como la tapadera suspendida en lo alto del cáliz como
por gracia especial, como si el milagro hubiera dado una
ingravidez inmaterial a aquella preciosa bovedilla aérea,
que era proverbial cómo devolvía de intensificada y enter-
necida sobre manera la voz de los oradores.

El obispo iba todos los años a oir el sermón célebre, y
estaba admirado de lo que allí sucedía.

—Pero ¿cómo es posible —decía a sus familiares— que
ese orador chabacano, manido, sin gran cultura religiosa,
haya podido lanzar un sermón tan estupendo?

Muchas veces, durante el año, había tenido que oir la
predicación de los que después se tornaban maravillas en el
templo de San Andrés, vacío como un gran silo exhausto.

La gran fiesta del pueblo llegó a ser el sermón, pues
para la procesión apenas había santos y estandartes que
pasear. El Ayuntamiento también era muy pobre, y no
podía hacer nada para sostener los festejos. En las casas
apenas se podía festejar el advenimiento del día del patrón,
pues las deudas no podían aumentarse y eran muchas y
ahogaban toda iniciativa. No se podía matar una gallina,
porque erá matar la ponedora de los huevos para los enfermos, pues en el pueblo había la costumbre de dar para

los enfermos uno de cada dos huevos que pusiesen las ga-
llinas, ¡y a veces no bastaban! ¡Había tantos enfermos!

Casi el único extraordinario de las fiestas era oir el sermón. Saciaba todas las hambres atrasadas, y era para los
forasteros los dulces y las golosinas y el aloque que no
podían darle.

¿No iban a tener orgullo con su púlpito, erguido en el
tercio superior de la nave central, a la derecha de los fieles?

Silencioso todo el año, guardaba como un sedimento,
como una solera de lo que se había dicho en él. Acercándose mucho a su nido, las almas crédulas creían percibir
el eco, medio de anatema, medio de dulzura, de lo que es
la esencia de los sermones.

—¡Qué lástima que no pudiesen ustedes sufragar el poder imprimir un sermonario que contuviese de un modo
perenne esta oratoria sublime! —decían los que oían el
último sermón.

—Un sermón nunca se debe tomar con taquígrafos... Se
le haría demasiado responsable. y el orador perdería es-
pontaneidad —contestaba el párroco.

—Es más precioso —decían los místicos— lo que queda
en las almas y es sólo riqueza de unos pocos, que lo que
se reproduce...

El valor del púlpito crecía, y entonces se le ocurrió al
obispo probar en qué consistía aquella maravilla ; y para
que hiciese el sermón del año eligió a un pobre fraile,
torpe, albino, miope, que buscaba con la cabeza las cosas
y las palabras, como si las buscase con una trompa, y que
era además tartamudo.

—Pero... —comenzaron a decirle sus familiares.

—Pero... —le fueron a decir los mismos hermanos en
Santo Tomás del elegido.

—Pero... —dijo él mismo.

El obispo insistió, y el día solemne subió el fraile oscuro
al púlpito mejor repujado de España, al único púlpito sin
escalera, pues se utilizaba para subir a él una escalera
portátil, que se quitaba durante el sermón.

Se hizo ese silencio riquísimo que sólo se producía antes de los sermones de San Andrés, y el fraile comenzó su sermón con tan dulce voz y con tan mórbido estilo, que parecía que le acompañaba el órgano de más variada y delicada trompetería.

El obispo estaba admirado, y con él todos comprendieron el prodigio. En aquel magnífico nidal de la orfebrería española que aligera y eteriza al hierro, había anidado la retórica.

Bajo los auspicios del Espíritu Santo, aquél era el púlpito de la elocuencia, que florecía del subsuelo en rizado tallo de hierro y después se hacía flor del arte, lirio retórico.

LA CARTA EN EL MANGUITO

Ya suele haber pocas damas con manguito. Eso no está bien. El manguito abriga a la mujer, parece que esconde su corazón y es un nido, el nido de las manos que se aman. El haber cogido y apretado una mano dentro de un manguito es de las cosas que no se pueden olvidar, como el hurón no se puede olvidar de la primera víctima cuya sangre se sorbió en el fondo de la gazapera.

El manguito es a la vez un precioso buzón, el buzón más discreto, el que buscan las cartas más apasionadas y en el que se conservan ardientes como en un termo hasta llegar a la alcoba en que se leen.

Como si suprimiesen los buzones las cartas no sabrían qué hacer, suprimidos los manguitos habría cartas sin destino posible, cartas de la buena suerte, que desaparecerían por completo.

Aquella mujer del manguito, aguda y de sonrisita de «marta cibelina», encontró una vez en su manguito la carta más bella del mundo, la que más satisfacía sus ideales. Estaba dentro del manguito cuando lo recogió de la butaca que a su lado estuvo vacía durante toda la representación. ¿Quién había puesto allí aquella carta? Esperó y no surgió nadie.

Y al contar su confidencia a las amigas supo también muy confidencialmente, ya que era la primera que se espontaneaba y había contado primero su caso, que sí, que ellas también, cuando usaron manguito, recibieron, no una carta igual a la de ella, sino la que convenía a todos los sueños de sus noches antes de dormirse y después de despertarse, a esos sueños vivos y materiales.

Indudablemente, ese Amor de quien tan profusamente se habla, y al que tanto se retrata, ese «botones» alado sabe que sólo el manguito es el buzón de la carta auténtica del Amor, y la mete en él. ¿No veis la verosimilitud de la escena?

LA MITI-LAI

No se hizo bien el reclamo, o no sé lo que pasó; el caso es que nadie asistió a la única representación que dio en el Teatro Dramático la magnífica y célebre actriz india Miti-Lai.

No la volveríamos a ver nunca. Se embarcó para su país con la intención de no volver ya más a Europa.

Habíamos visto su retrato en todas las revistas del mundo, era algo extraordinario, dotado de una reserva y una dignidad tan misteriosa como la de la emperatriz de la China.

Buscamos por todos lados a alguien que hubiese estado en la única representación de la Miti-Lai, y encontramos, por fin, uno, el único espectador que había asistido al teatro, el que había quedado ungido único representante de la Miti-Lai en España.

¡Con qué avidez le preguntamos!

—El teatro estaba solo —nos contestó—. Ni un crítico, ni un desconocido... Sólo yo... Representaron la obra para mí solo y todos sus personajes se fueron abriendo el vientre según el texto de la tragedia, muriendo en escena como caballos de la plaza de toros, con el mondongo fuera... La Miti-Lai sonreía en medio de la tragedia con una sonrisa llena de sufrimientos y de dicha, porque veía cómo cada uno de los que se sacrificaban se iba al paraíso... ¡Qué gran actriz!

El relato del único que había visto a la Miti-Lai me dejó más grabada aún en el corazón la ausencia de la gran actriz, a la que nadie vio trabajar y de cuya representación ni los periódicos dieron cuenta. ¡Con qué gran desconsuelo se debió ir de entre nosotros la actriz del incógnito después de haberse presentado en el gran Teatro Dramático! ¿Cómo se pudo dar en la vida una ausencia tan unánime, tratándose de la más pálida y más grande de las actrices?

LA CASETA QUE SE VA AL MAR

Veo —hay que acabar por ver cosas que no se verán nunca—, veo una caseta que se desprende de la tertulia de las demás casetas y con la que por fin realiza el mar la hazaña de rapto que hacía tanto tiempo meditaba y ansiaba.

Es una caseta pintada con rayas azules y blancas y lleva un número que es lo que más se destaca en el naufragio: *el 14*.

Es confusa la visión de eso que rueda, pero es así. La caseta no ha sido fletada sobre el mar, sino engullida, aunque se mueva sobre las olas oscilantes, flotando sobre su pesada base de madera y sus ruedas, que son como boyas que la sostienen.

Barco extraño y primitivo, que en la exhalación del suceso no se sabe si está habitado o no, hasta que de pronto surge despavorida su moradora en el dintel de la caseta, del extraño hidroavión que se tambalea sobre el mar. Es una bella mujer desnuda y despavorida que ha hecho la llamada suprema a los bañeros y a los nadadores, imposibilitados de nadar en el mar crispado y epiléptico del turbión.

Entonces la visión de la caseta que se aleja y naufraga se ha vuelto algo simbólico, como si presenciásemos el tránsito de Venus, que al fin volviese al mar de donde salió al principio del mundo.

EL CICLISTA INVICTO

Premio en muchas pruebas ciclistas había muerto en un accidénte baladí, cuando ya sólo se dedicaba a cuidar los girasoles de sus triunfos.

El duelo había sido general y su juventud sana y optimista le había acompañado a su última morada.

A la vuelta del sepelio la casa se mostró más triste y desconsolada, revestida con los triángulos de los banderines y con la plata fría de los trofeos.

Pero algo faltaba entre los recuerdos del desaparecido, su máquina, su bicicleta, que había estado escondida bajo llave en una habitación en que no había entrado nadie.

Nadie logró saber el secreto de aquella desaparición, pues lo que había sucedido es que el *recordman* había montado en su máquina para llegar más pronto al paraíso de los triunfadores.

CERILLAS NUMERADAS

Él ya sabía que una cerilla es un fuego en el que ponemos misteriosamente algo de nuestra vida.

En el fondo tenía la conciencia de haber gastado demasiadas cerillas, unas por necesidad y otras por descuido.

Así su cuenta, un día que encendió un grupo de tres que estaban unidas por la cabeza —siamesismo difícil de operar—, oyó que alguien le decía:

—Usted lleva treinta mil doscientas cincuenta y cuatro cerillas gastadas... Tenga cuidado, pues si sigue así habrá agotado las que tiene derecho a usar en su vida.

En vista de eso dejó de fumar.

EL ROBO Y LOS SUEÑOS

El detective había notado que muchos de los robados que habían llamado para que indagase el robo, le confesaron que hacía unos días habían soñado que les iban a robar.

Eso le hizo colocar una chapa sorprendente en la puerta de su estudio:

«*Detective en sueños.*»

Su teoría se fue reforzando porque encontró varias veces la colaboración de sueños y ladrones, anticipándose a algunos robos, siendo el más extraordinario el de la chimenea, pues a los pocos días de haber sido soñado, la guardia que había montado junto a ella, detuvo y desarmó al ladrón negro de hollín.

EL AZAR DEL TELÉFONO

En la monotonía de los días me gusta dar a la rueda del teléfono al azar y ver lo que pasa.

Así he obtenido comunicación extraordinaria con la dama escondida, con el embalsamador y con el que no ha dado nunca el número de su teléfono a nadie y no figura ni en la guía verde.

Los seres que siempre están durmiendo la siesta han respondido a mi llamada y he dado con el avaro supremo.

El dedo se mueve en la ruleta del teléfono y mezcla los números con verdadera arbitrariedad. Muchas veces salen números muertos, pero otras veces salen números novelescos y sorpresivos.

¡Pero cuál no sería mi sorpresa el otro día cuando al marcar no sé qué cifra comenzaron a salir por el auricular monedas de oro!

Había marcado el número del *coffre-fort* de la suerte. Había dado con la combinación secreta de la caja de caudales de la casualidad.

Nadie se puede figurar lo exquisito que es ese dinero que sale por el oído del teléfono y que es como un regalo de la Providencia.

¿Pero qué número compuse con mi nervioso meter el dedo en los agujeros del disco? Eso es lo que quizá no sepa ya nunca, pues para que el puro azar se produzca no hay que copiar la combinación y es posible que no logre sacarla de nuevo del olvido eterno.

EL SASTRE DE LOS MUERTOS

No es que les hiciese trajes a los muertos, no. Es que aparecía con la factura de un traje que según él se había hecho el fallecido y no había pagado.

Era un caballero serio con una manera severísima de vestir el traje de luto y al que le salían los pésames —«mi más sentido pésame», «mi profundo pésame»— por todos lados, bolsillos, orejas, narices.

El negocio fue bien hasta que tropezó con la viuda que llevaba al día las cuentas de su marido.

Ésa se plantó y el sastre del enviudamiento se fue a que le diesen el pésame en la cárcel.

LOS CISNES

Habían muerto todos los cisnes del lago.

Se sospechó de los niños de los alrededores, pues como se sabe hay una pugna antigua entre la infancia y los cisnes.

Los cisnes son malos con los niños, a los que cuando están en tierra, abusando de su corpulencia, los empujan hacia el agua y a veces han hecho que se ahogase alguno. Los niños que saben esa crueldad para con ellos, les tiran piedras hasta matarlos.

¿Pero cómo habían podido tener tan certera puntería matando los seis cisnes del lago?

Se trajeron cuatro cisnes más y se montó una estrecha vigilancia, viendo cómo, al clarear el alba, aparecían muertos sin haber lanzado siquiera su canto final.

Llamado un experto —el «Lohengrin de los cisnes» era su apodo— descubrió que aquella agua verde estancada y venenosa, sobre la que bogaban, era capaz de matarlos en cuanto metían su cabeza sin saber que al hacer ese gesto tan usual en ellos buscaban la verdinegra muerte.

FARO CONDECORADO

En la noche de la gran tempestad, con dos buques encallados, destrozados en su vecina escollera, aquel faro supletorio, montado sobre zancas de grúa, con su farol parpadeante y lacrimoso en lo alto, avanzó, no se sabe cómo —ni se sabrá nunca—, hacia el mar y gracias a sus escaleras de hierro logró poner a salvo un racimo de náufragos.

El gobierno, admirado de su hazaña, lo condecoró con la gran cruz civil para la heroicidad y aumentó la potencia de sus focos en mérito a aquel salvamento en la noche empavorecida en que dio las zancadas inverosímiles del milagro.

EL VECINO CON CABEZA APERALADA

Me encaré con el portero porque era irresistible aquel ruido todo el día, de algo que giraba ruidosamente sobre mi techo y al final se precipitaba en un rodar de cosa que se salía de su eje y corría precipitadamente hacia un rincón del zócalo.

—Es el hijo de los del sexto, que tiene la cabeza en forma de zapatillo en punta y se dedica a jugar al peón todo el día. Una cosa de nacimiento... Un pequeño monstruo... Ya tienen bastante sus padres con el suplicio...

—¿Pero no sale de casa?

—Nunca... Pero tenga en cuenta el señor, que la mitad de los vecinos de una casa no salen nunca.

—¿Y por qué no se lo llevan al campo?

—Porque vive aquí bien, y eso que no se alimenta más que de peras; peras a todas horas.

Había que resignarse con aquel vecino que jugaba al peón todo el día y sólo tenía la apetencia narcisítica de las peras que tenían la forma de su cabeza. ¡Qué de aberraciones encierra una gran ciudad!

EL PAÑUELO SALVADOR

Luba estaba ya en la última frontera de la salvación. Si la dejaban pasar, volvería a respirar el aire puro de la libertad.

Tenía una maleta sobre el mostrador del último «copetín al paso» de las fronteras, esperando la revisión y que la tiza blanca de la aduana hiciese en la atezada piel de la valija el signo secreto del día, el santo y seña por el que suspiran los que se liberan y los que llevan contrabando, esa cifra con rúbrica extraña, que no se sabe cuál va a ser cada día momentos antes del amanecer.

Luba vio que devolvían a muchos otra vez, al revés del mundo, irreparablemente desahuciados. Luba temblaba, y cuando se acercó al aduanero y al policía con sus papeles en la mano, vio en sus rostros un aire denegador.

—Pero veamos —dijo el que llevaba pasaportes y salvoconductos en la mano.

Se abrió su maleta con rotunda franqueza.

—¿Y esos papeles? —fue lo primero que preguntó el policía.

—Son cartas.

Había mucha desconfianza al revolver sus cosas, cuando de pronto, como quien se fija en algo importante y que puede ser la solución del problema, el policía tomó en su mano un pañuelo escogido entre el montón de pañuelos, miró fijamente sus iniciales y el sinuoso bordado que lo rodeaba y, con un gesto imperante, dijo al aduanero: «Que pase», y la saludó afectuosamente, entregándole sus papeles.

Luba nunca pudo adivinar por qué aquel pañuelo, que no era suyo, que había encontrado en cualquier parte y que había lavado y planchado ya como suyo muchas veces, fue la clave de su liberación.

EL HOMBRE AL QUE LE ESTALLÓ LA VERRUGA

De la naturaleza de las verrugas no hay fisiólogo que sepa nada.

¿Qué es una verruga? ¿Por qué brota una verruga? Es tan imposible de contestar a esas preguntas como a la previsión de los volcanes.

La verruga de aquel caballero era una verruga cuantiosa, arrugada, con tipo crateriano.

Los amigos del café le encontraban más bondadoso por causa de la verruga ; ¡pero lo que engañan las cosas!: un día, «aquel señor de la verruga», les dio un susto atroz, pues en medio de la amigable charla le estalló la verruga con explosión de melinita, resultando inverosímil que produjese tan gran estrago en espejos y vajilla. Afortunadamente, no hubo desgracias personales que lamentar.

Y el hombre de la verruga no tenía antecedentes anarquistas en la familia.

REGALO HIGIÉNICO

Iba a ser el santo de Manolito, que esperaba con ingenua emoción el regalo de aquella madrina estrafalaria, pero riquísima.

Tardó en aparecer, haciendo que el pobre niño se cansase de zambear por los pasillos, acudiendo a la llamada del panadero, lechero y chico de los telegramas.

Por fin la madrina se anunció y abrazó al niño, apretándole contra el paquete de su regalo.

—Nada... Un modesto regalo higiénico... Una esponja mecánica que lava y frota a los niños de arriba abajo sin necesidad de que nadie la maneje.

Mánolín —que así se llama el niño— cogió la esponja
mecánica y haciendo buena puntería con su madrina, la
limpió un ojo.

EL ESTOQUE ANESTESIANTE

El torero, cuando se retira, parece como si tuviese un
complejo de culpa frente a los toros que mató y quisiera
justificar los tormentos de la lidia.

Así Antolín, el honrado torero de Palencia, al sentirse
viejo, se dedicó a pensar y preparar un estoque que no le
hiciese daño al toro.

Por fin, después de muchas experiencias, llegó a crear
una espada bisturí canalizada por dentro y que al entrar
en el toro y sólo a la presión del empuje del puño, derra-
maría dentro de él por varios agujeritos abiertos a lo largo
de la hoja un anestesiante enérgico, que evitase el de la
desgarradura.

El toro moriría lúcido y entero, pues la anestesia sólo
iba a ser local y refrescante, entrando en la muerte por
derrames interiores totalmente indoloros.

Antolín sólo espera que la junta de «diestros» acepte o
no acepte la espada inyectable y cloroformizante.

EL BOMBÓN DE LICOR

—Ya no vienen por aquí —decían escuetamente los de
Suárez para explicar la desaparición de los de Gómez y
Gómez.

—Nos hemos distanciado un poco —decían los de Gómez
y Gómez cuando les preguntaban por qué no iban a casa
de los de Suárez y nadie se atrevía a pedir más detalles por
temor a írselos a detallar a los de Suárez.

Pero el secreto aún lo comentaban a veces Adela Gómez
y Ricardo Gómez, matrimonio bastante bien avenido.

El caso fue que una noche Nina Suárez y su hermana
Jesusa se acercaron a Adela para ofrecerle un bombón

de licor, y al írselo a dar, estalló en manos de Nina, inun-
dando a Adela de lágrimas de dulce, poniéndola hecha una
lástima y asistiéndola en el cuarto de baño con toallas y
alcoholes. ¡Parecía mentira que una cosa tan chica hubiera
producido una especie de catástrofe atómica!

—¡No ha sido nada! ¡No ha sido nada! —volvió diciendo, nerviosa y pálida, Adela.

Pero según pasaba el tiempo menos se cerraba la herida
del bombón —hubiese tenido que volver el licor derramado
a su cápsula de chocolate— y el matrimonio había sospechado que aquello fue un atentado de verdad, la explosión
que se puede disimular en una reunión de buena sociedad.

EL QUESO HOLOFERNES

El autor dramático de los tiempos modernos estaba en
el momento culminante de contrahacer la gran tragedia.
Había llegado en el diálogo dramático a la pregunta delirante y terrible que hace Judith a su azafata después de
cortar la cabeza de Holofernes.

—¿Qué hago con esta cabeza?

El autor dramático buscaba en su cabeza sin cortar —ya
la cortaría el día del estreno— una contestación digna de
aquella pregunta última, una contestación nerviosa sobre la
que pudiese bajar el telón como guillotina máxima.

Por fin, en el arrebato súbito de la inspiración, escribió:
La criada repuso:

—¡Funde un queso nuevo!

EL LADRÓN CAUTO

Llamaba a la puerta de la casa, que creía abandonada,
y si respondían a su llamada, entregaba el cuaderno de una
novela por entregas, como si fuese propagandista de una
casa editorial.

Pero una vez, después de comprobar que no había nadie
en la casa, se llevó un gran susto al ver que de la cama

de una alcoba interior, se levantaba un bulto airado, que después se dividió en nueve gatos, que huyeron.

Por causa de aquel susto dejó de ser ladrón.

EL HOMBRE DEL MONÓCULO AMARILLO

A todo el mundo le chocaba por qué aquel caballero llevaba un monóculo amarillo.

Se veía que él no se daba cuenta de aquella amarillez del cristal, qué daba a su ojo aspecto de huevo duro.

A todo el mundo le hacía un poco mal efecto convertirse en amarillento por causa de aquel cristal, y alguno de los que más trataron con el hombre del monóculo amarillo se pusieron ictéricos de tanto pensar que se les veía amarillos.

Sólo el psicólogo se dio cuenta de que el secreto de aquel hombre del monóculo amarillo era el envidioso por excelencia; más aún: Su Ilustrísima el Marqués de la Envidia.

LA SALVACIÓN DE LA VIEJA

Su casa era una gran casa, pero ella vivía en el fondo como atesorando tiempo y dinero.

El ladrón olió tesoros y la sorprendió en su soledad, abalanzándose sobre su cuello. Ya veía su muerte, cuando gritó: «¡Sal, Teresa!»

Y apareció la bella secuestrada, «La Venus rubia», pálida de estar escondida y el crimen derivó por otro camino hacia el amor.

Había perdido su mejor joya la vieja, pero había salvado su vida.

EL CENTRO DE MESA

No les había unido más que aquel centro de mesa que la familia Rodríguez pedía a la de Fernández todos los días de santo de la madre.

Muy temprano ese día llegaba la sirvienta de los Rodríguez y se llevaba el centro de mesa azul con alas de oro.

Nació frente a ese centro de mesa prestado el deseo de
Anita, la hija de los Rodríguez, de poderlo ostentar para
siempre, casándose con Fernando, el hijo de los Fernández.

Y así fue porque, además, los capitales eran muy pare-
cidos: novecientos mil quinientos ochenta el de los Rodríguez y novecientos mil quinientos ochenta el de los
Fernández.

MASCARILLA DE UNA MANO

Sobre la mesa de mi antiguo amigo Padua, al que iba a
visitar una vez al año, se destacaba el vaciado en yeso de
una linda mano de mujer. Era un misterio, que no me había
atrevido a desvelar porque Padua era soltero y muy reservado en sus amores.

Sin embargo, cuando le fui a visitar la última vez y cuando vi que no estaba la mano sobre su mesa, me decidí a
preguntarle: «¿Y aquella mano?»

Padua sonrió medio triste, medio iluminado y me dijo:

—Aquella mano..., aquella mano ya es una mano viva y
muy parecida a la otra que me costó mucho trabajo volver
a encontrar.

EL ROBO DEL TURBANTE

El príncipe oriental, tocado con su gran turbante arco
iris, tenía una prestancia que no se sabía de dónde proce-
día, pero en la que había una rutilancia de grandes piedras
preciosas.

¿Cómo aquel hombre esbelto, pero sencillo, mostraba una
apariencia majestuosa? ¿Era la refulgencia de sus miradas
o el resplandor de sus ideas?

Sólo se supo el día que le robaron el turbante y se de-
nunció el robo, declarando la cantidad de joyas que lo
abultaban de valores escondidos y preciosos.

—Mi turbante —dijo él— valía más que la reina de mi
harén.

ADVERSARIO DEL DOLOR

La habitación estaba iluminada con luz indirecta, como si saliese del horizonte de las cornisas.

El que había llegado y esperaba que apareciese la señora, hubiera preferido que las lámparas hubiesen estado resguardadas en pantallas, que son sombreros del corazón.

Ella salió y le dijo con una tarjeta en la mano:

—¿Así es que usted viene en nombre del médico que me salvó?

—Exacto, señora... Se empeñó que la hiciese una visita.

Se sentaron. El destino había hecho el cálculo. Sin saberse qué decir y diciéndoselo todo.

—¡Qué casualidad! —dijo ella, pronunciando las palabras que habían de traer su sino—, llega usted cuando es el aniversario de la operación. Hoy me duele la herida.

Desde ese momento, él representó el consuelo, el alivio del dolor, el pantopón, etc., etc., etc.

LORD HERMOND

Tiene tal fuerza la infidelidad, que habiendo sucedido hace cuarenta años es como si hubiese sucedido hoy. No tiene prescripción.

Lord Hermond siempre está viendo a la bellísima lady en brazos del otro. Sólo unas cartas habían revelado el misterio y él se había separado de ella.

Le rejuveneció siempre aquel recuerdo, pero le rejuveneció, atormentándole.

Y así llegó su muerte y como si quisiera refrescar el ingrato recuerdo en la mismísima tumba, rogó a su más íntimo amigo que le enterrasen con aquellas cartas y con ellas se fue en un bolsillo de su vieja levita.

EL METAL RARO

La finca era pobre, unas cuantas hectáreas y un molino triste, que sacaba el agua, quejándose amargamente.

Hasta que un día comenzaron a aparecer en el agua unos grumos plateados, que hizo que la llevase a analizar.

—En su terreno hay «girio», el metal más buscado en este momento, y que es con el que se logra que los obuses dirigidos den la vuelta.

Calícatas bien dirigidas dieron con su gran yacimiento de «girio» y hoy los dueños de aquellas pobres hectáreas del molino quejoso se pasean alrededor del mundo en barcos con piscina y televisión.

EL DESHONORADO

Sentenciado a ser deshonorado a la vista de todos, le quitaron la espada y los galones, las condecoraciones, pero cuando le quisieron quitar los gemelos de campo, que llevaba colgados del pecho, dijo:

—¡Ah, no!... Eso no... Ésos déjenmelos para ver desde la ventana de mi prisión la batalla futura... ¡Los necesito!

Y al oir aquella petición delirante, el jefe de la triste ceremonia accedió a dejarle los gemelos de campaña.

EL NEGRO CONDENADO A MUERTE

Aquel negro había tenido la avilantez de amar a una blanca y eso, en la pulcra yanquilandia, no se perdona.

Los jueces, que por algo se lavaban los dientes cuatro veces al día, pronunciaron una terrible sentencia condenatoria. El negro sería ejecutado por tres veces con macabra saña.

La noche de capilla fue aterradora para el pobre hombre empavonado, tan terrible que cuando le llevaron a matar en la madrugada de ojos pitañosos, se había vuelto blanco.

Así como en la noche de la capilla última ha habido condenados que han encanecido por completo aun habiendo entrado pelijóvenes, el negro se había convertido en blanco.

En vista de eso, los jueces se reunieron en consejo urgente y como al perder el color, el delito se había convertido en falta, optaron por casar a la pareja de blancos.

ÍNDICE DE AUTORES

DE LA

COLECCIÓN AUSTRAL

ÍNDICE DE AUTORES DE LA COLECCIÓN AUSTRAL

HASTA EL NÚMERO 1331

* Volumen extra

INDICE DE AUTORES

ÍNDICE DE AUTORES

ÍNDICE DE AUTORES

ÍNDICE DE AUTORES

ÍNDICE DE AUTORES

ÍNDICE DE AUTORES